KU-324-673

KATIE QUINN DAVIES begann ihre berufliche Laufbahn
als Grafikdesignerin. Seit 2009 konzentriert sie sich mit all ihrer
kreativen Energie auf die Foodfotografie und kurz darauf erblickte
ihr Blog »WHAT KATIE ATE« das Licht der Welt.
Er wurde zu einem Internet-Phänomen mit einer riesigen Fangemeinde
in Australien, Europa und den USA. Wenn Katie nicht gerade
Werbeaufnahmen macht oder für führende Food- und Lifestylemagazine
in ihrem Studio in Sydney schießt, kocht sie mit viel Liebe und Spaß und
bestückt ihren Blog mit vielen neuen, saisonalen Rezepten.

whatkatieate.com

WHAT KATIE ATE

at the weekend…

100

neue

Rezepte

Fotos von

Katie Quinn Davies

Dieses Buch ist aus vollem Herzen meinen unglaublich tollen Freunden und meiner ebenso tollen Familie gewidmet, vor allem Alice, Lou und Madeleine – ohne euch hätte ich das nicht geschafft, ich liebe euch alle sehr.
Ihr seid superkalifragilistigexpialigetisch :) x

Green and
Cookery

EINLEITUNG Seite 1
BREAKFAST UND BRUNCH Seite 4
EIN WOCHENENDE
IM BAROSSA VALLEY Seite 32
SALATE UND SUPPEN Seite 42
EIN WOCHENENDE IN DUBLIN Seite 76
GEFLÜGEL, FLEISCH UND FISCH Seite 86
EIN WOCHENENDE IN ITALIEN Seite 142
GEMÜSE Seite 152
WOCHENENDLUNCH
MIT DEN MÄDELS Seite 178
PIZZA, PASTA UND BROT Seite 186
PARTY-SNACKS UND DRINKS Seite 214
EIN MEXIKANISCHES WOCHENENDE
BEI MIR ZU HAUSE Seite 250
SÜSSES Seite 258
HINTER DEN KULISSEN Seite 296
DANKE! Seite 303
REGISTER Seite 305

EINLEITUNG

Die letzten zwei Jahre seit Erscheinen meines ersten Buches *What Katie Ate* waren unglaublich ereignisreich. Ich muss mich immer noch zwicken, wenn ich daran denke, dass das Buch in zehn Sprachen übersetzt und in nahezu zwanzig Länder verkauft worden ist. Es ist jedes Mal ein großes Vergnügen für mich, wenn wieder eine neue fremdsprachige Ausgabe per Post bei mir eintrifft und ich meine Rezepte in der italienischen, portugiesischen, französischen, russischen oder deutschen Fassung in Händen halte. Deshalb habe ich mich auch wahnsinnig gefreut, als die Anfrage zum zweiten Band kam. Diese für mich noch relativ neue Reise als Kochbuchautorin, Fotografin, Stylistin, Designerin (und all die anderen Funktionen, die ich mehr oder weniger im Alleingang ausübe, um diesen Traum wahr werden zu lassen) wollte ich auf jeden Fall fortsetzen.

In diesem Buch dreht sich alles um Wochenendgerichte und um das, was ich für mein Leben gern mache: für meine Familie und Freunde zu kochen. Hier in Sydney eine tolle Dinnerparty oder ein Barbecue auszurichten, hat schon immer zu meinen liebsten Beschäftigungen in den Sommermonaten gehört. Für große Gesellschaften zu kochen, ist ein riesiges Vergnügen für mich. Ich liebe den gesamten Ablauf, von der Planung bis zum Moment des Servierens, kurz bevor meine Gäste mit dem Essen beginnen. Das gehört für mich zu den schönsten Momenten überhaupt: gemeinsam mit den mir liebsten Menschen gutes Essen und guten Wein zu genießen, mit Freunden das Brot zu brechen sozusagen.

Mit den Rezepten in diesem Buch bin ich rundum glücklich. In sie fließen so viele wunderbare Erfahrungen ein, von meinen eigenen Kochexperimenten angefangen über Gerichte, die ich in den letzten zwei Jahren auf Reisen gekostet habe, bis hin zu Rezepten, die mir Freunde zur Verfügung stellten. Sie enthalten Anregungen für entspannte Vormittage beim Brunch, aufwendige Abendessen, Canapés und Drinks im Rahmen einer Cocktailparty, abwechslungsreiche Salate und schön marinierte oder geschmorte Fleischgerichte. Diese Rezepte sind aber nicht ausschließlich fürs Wochenende geeignet – viele von ihnen lassen sich auch auf die Schnelle unter der Woche auf den Tisch zaubern.

Vor allem dank meiner monatlichen Kolumne für das Magazin *delicious* habe ich in den letzten Jahren unheimlich viel übers Essen und Rezepteschreiben gelernt. Darin habe ich jeden Monat über saisonale Themen berichtet, die jeweiligen Rezepte entwickelt, getestet, gekocht, angerichtet und abgelichtet. Dabei habe ich eine Menge über erntefrische Produkte und die Kombination verschiedener Geschmacksrichtungen erfahren. Ich konnte mich nach Herzenslust austoben. Ein paar dieser Gerichte sowie einige Lieblingsrezepte von meinem Blog *whatkatieate.com* sind hier in diesem Buch enthalten.

Seit Erscheinen des ersten Buches bin ich ziemlich viel herumgereist: nach Tokio (fantastisch!), Amerika, London, Irland und quer durch Australien. Mich von Speisen inspirieren zu lassen, die ich auf Reisen mit Freunden und der Familie kennengelernt habe, ist ohne Frage meine bevorzugte Art, neue Rezeptideen zu entwickeln. Ich liebe es herauszufinden, was in dem jeweiligen Gericht enthalten ist, und experimentiere mit den Zutaten, sobald ich wieder zuhause bin. Dabei kombiniere ich oft ein, zwei Rezepte miteinander und verleihe ihnen so meine persönliche Note. Die Burger auf Seite 236–239 sind ein perfektes Beispiel dafür.

In diesem Buch sind zahlreiche Fotos von Wochenenden abgebildet, die ich in meiner Heimatstadt Dublin (Seite 76–85), im schönen Barossa Valley mit seinen wunderbar warmherzigen Menschen (Seite 32–41) und in *Italia*, meinem absoluten Lieblingsland (Seite 142–151), verbracht habe. Darüber hinaus gibt es auch noch Aufnahmen von Wochenenden in Sydney: von einem vergnüglichen Mädelstreffen mit einigen australischen Leserinnen meines Blogs (Seite 178–185 – danke nochmal, Girls!) und einer mexikanischen Mottoparty bei mir daheim im Garten (Seite 250–257).

Das große Highlight der letzten Jahre war zweifelsohne meine Reise nach New York und der Gewinn des begehrten James Beard Awards in der Kategorie »Beste Fotografie« sowie die Nominierung in der Kategorie »Bestes allgemeines Kochbuch« im Mai 2013. Ich glaube, ich war noch nie so schockiert wie an jenem Morgen, als mich Unmengen von Tweets mit Glückwünschen zu meinen Nominierungen erwarteten. Ich war völlig perplex, total aus dem Häuschen und unglaublich aufgeregt. Diese Auszeichnung gilt als der Oscar in der US-amerikanischen Kochwelt, und ich fühlte mich geehrt (und war auch ein bisschen baff), neben all den hochkarätigen Menschen der amerikanischen Gastronomie-, Medien- und Verlagsbranche als Finalistin auserwählt worden zu sein.

Eine Weile war ich hin- und hergerissen, ob ich zur Verleihung fahren sollte oder nicht, doch tief in mir drin wusste ich, dass es da gar nichts zu überlegen gab. Die Flugtickets und das Hotel waren dann auch schnell gebucht und ich fing an, mir – typisch Mädchen – Gedanken zur Kleider-, Schuh-, Taschen-, Accessoire-, Frisur- und Make-up-Wahl zu machen. Dann war der Abend auch schon gekommen und ich fand mich mit meiner US-Lektorin Megan an einem der Tische in der Gotham Hall wieder. Als mein Name unter den Nominierten in der Kategorie »Beste Fotografie« fiel, war ich am Rande eines Nervenzusammenbruchs, was sich noch steigerte, als ich tatsächlich zur Siegerin ausgerufen wurde: Da wäre ich vor Aufregung fast gestorben! An den Weg durch den großen Saal zur Bühne, der mir meilenweit vorkam und auf dem ich von einem Haufen unbekannter Leute abgeklatscht wurde, kann ich mich noch sehr gut erinnern. Nach einer nervös gestammelten Dankesrede – irgendwas über das berühmte Glück der Iren – wurde ich für das Gewinnerfoto zur Seite gewunken. Dabei wäre mir beinahe das Schampusglas aus der Hand gefallen, so heftig zitterten meine Hände. Es war eine unglaubliche Erfahrung und ich werde den Juroren, die für mein Buch gestimmt haben, sowie der James Beard Foundation auf ewig dankbar sein.

Ziel meines zweiten Bandes war es, ein Kochbuch aufzulegen, das meinen Lesern vertraut vorkommen, aber gleichzeitig einen leichteren, fröhlicheren Touch haben sollte – so wie mein Leben hier in Sydney und wie die Speisen, die ich so gern esse und serviere. Man kann wohl sagen, dass dieses Buch eine Zusammenstellung meiner Rezepte und Reisen der vergangenen beiden Jahre ist, inklusive eines Blicks hinter die Kulissen eines Fotoshootings, damit ihr seht, wie wild und „glamourös" es dort oft zugeht!

Das Schreiben an diesem Buch und die Fotoaufnahmen haben mir wirklich großen Spaß gemacht, auch wenn es ein deutlich größeres Unterfangen als beim letzten Mal war. Sicher, an manchen Tagen war es hart und superstressig, aber auf das fertige Buch bin ich unglaublich stolz. Ich hoffe, ihr findet zahlreiche Gerichte, die ihr mit eurer Familie und euren Freunden genießen könnt, und bleibt mir und meiner Arbeit weiter treu.

Herzlich,
Katie x

Canon

BREAKFA
UND
BRUNCH

AST

VEGEMITE

herrie
7.5
Free
Sam
Cup of
Cherries

SPECIAL BLACKPEPPER
"GRAN DI CAPRA"
(GOAT CHEESE)
ZUBAIO
£. 30,00 /Kg
SPECIAL GOAT CHEESE
4 months matured
conserved in STRAW
£ 30.00 per Kg
FRESH PECORINO
ORGANIC GOAT CHEESE
£ 25,00 per Kg

KATIES MÜSLI MIT HEIDELBEERKOMPOTT UND JOGHURT

Für 4–6 Personen

Müsli gehört zu den Dingen, die man ganz leicht selbst zubereiten kann. Ich liebe es, mir sonntagsabends fix eine gute Portion davon zusammenzumischen, die ich dann im Laufe der Woche aufbrauche. In einem luftdicht verschlossenen Behälter ist es bis zu zwei Wochen haltbar. Gepuffte Quinoa und Chiasamen sind in Bioläden und Reformhäusern erhältlich, den hellen Agavendicksaft gibt es darüber hinaus auch in gut sortierten Feinkostgeschäften zu kaufen.

140 g Haselnüsse
80 g Mandeln
75 g Sonnenblumenkerne
50 g Kürbiskerne
2 EL heller Agavendicksaft
50 g getrocknete Cranberrys
50 g getrocknete Heidelbeeren
30 g getrocknete Gojibeeren
25 g gepuffte Quinoa
2 EL Chiasamen
500 g Naturjoghurt

HEIDELBEERKOMPOTT
250 g frische Heidelbeeren
2 EL heller Agavendicksaft
2 TL Limettensaft

Den Backofen auf 180 °C Umluft vorheizen und ein Backblech mit Backpapier auslegen.

Nüsse, Mandeln und beide Kerne in einer Schüssel vermischen, dann den Agavendicksaft darüberträufeln und rühren, bis alles gut vermischt ist. Gleichmäßig auf dem vorbereiteten Blech verteilen und 8–10 Min. backen, bis die Nüsse und Kerne goldbraun geröstet sind. Aus dem Ofen nehmen, beiseitestellen und vollständig abkühlen lassen. Dann in eine große Schüssel füllen, größere Stücke ggf. auseinanderbrechen. Die getrockneten Beeren, Quinoa und Chiasamen hinzufügen und gründlich umrühren. Ergibt gut 500 g.

Für das Heidelbeerkompott alle Zutaten mit 1 EL Wasser in einer kleinen Kasserolle bei hoher Temperatur zum Kochen bringen. Dann die Temperatur reduzieren und unter häufigem Rühren 2–3 Min. sanft köcheln lassen, bis die Beeren weich sind. Die Früchte abgießen und den Saft auffangen. Früchte beiseitestellen. Den Saft bei niedriger Temperatur 4–5 Min. köcheln lassen, bis er auf etwa die Hälfte eingekocht ist. Den heißen Saft über die Beeren gießen und abkühlen lassen.

Zum Servieren das Kompott auf kleine Schalen oder Einmachgläser verteilen, eine Schicht Joghurt darübergeben und mit dem Nuss-Kerne-Beeren-Mix abschließen.

THE
MOST FLAVORFUL
AND CREAMIEST

ENJOY
SO BL
CHAI DE
WK DB
SOY SK
FW CA
LM LA
HC LB
Mocha
+1 +2
PLANET CUP
COMPOST ME!

SUPER-SMOOTHIES

Für 2 Personen {Ergibt 700 ml}

Ich war ehrlich gesagt noch nie ein großer Fan dieser supergesunden „grünen Shakes", die heutzutage so in Mode sind, aber dieser hier schmeckt wirklich fantastisch. Er enthält Grünkohl, was normalerweise schon reicht, um manche Menschen schreiend die Flucht ergreifen zu lassen, doch dem fertigen Drink merkt man das im Grunde gar nicht an. Der Smoothie eignet sich übrigens auch hervorragend für Kinder – auf diese Weise kann man ihnen Grünzeug unterjubeln, ohne dass sie es bemerken.

2 Kiwis
1 grüner Apfel
20 g Grünkohl- oder junge Spinatblätter
2 TL Zitronensaft
1 kleine Handvoll Minzeblätter
1 große Handvoll Eiswürfel, zzgl. Eiswürfel zum Servieren

Die Kiwis schälen, den Apfel entkernen und beides in Stücke schneiden. Kohlblätter vom Strunk befreien. Alle Zutaten zusammen mit 250 ml kaltem Wasser in einen Mixer geben und pürieren.

Auf vorgekühlte Gläser verteilen, einige Eiswürfel hinzufügen und servieren.

Successful Cooks always use Ingredients Advertised in this Book.

SARDINENTOASTS MIT ESTRAGON-ZITRONEN-MAYONNAISE

Für 4 Personen

Diese Toasts eignen sich wunderbar für einen Wochenendbrunch mit Freunden. Ich mag die Sardinen lieber ohne Gräten, aber wer möchte, kann sie genauso gut mitessen – sie sind winzig und äußerst kalziumreich!

250 g Kirschtomaten
16 frische Sardinen, gewaschen, geschuppt, ohne Kopf (am besten vom Fischhändler vorbereiten lassen)
1 EL Weizenmehl
1 EL Reismehl
fein abgeriebene Schale von 2 unbehandelten Zitronen
4 Bio-Eier
Meersalz und frisch gemahlener schwarzer Pfeffer
Oliven- oder Reiskeimöl zum Braten

Roggenbrot, in Scheiben geschnitten, getoastet und gebuttert
Dillblättchen zum Anrichten

ESTRAGO-ZITRONEN-MAYONAISE

3 Bio-Eigelb
2 EL Zitronensaft
125 ml Rapsöl
2 TL Estragonessig
1 TL Dijonsenf
2 TL eingelegte Kapern
1 kleine Handvoll frische Dillblättchen
Meersalz und frisch gemahlener weißer Pfeffer

Den Backofen auf 180 °C Umluft vorheizen und ein Backblech mit Backpapier auslegen.

Die Tomaten auf das vorbereitete Blech legen, leicht salzen und 20 Min. schmoren, bis die Schale aufzuplatzen beginnt.

Inzwischen für die Mayonnaise Eigelb, Zitronensaft und 1 Prise Salz in den Mixbehälter der Küchenmaschine geben. Auf höchster Stufe 1 Min. aufschlagen, dann das Öl bei laufendem Motor in dünnem, gleichmäßigem Strahl zugießen, bis eine dicke, glänzende Mayonnaise entstanden ist. Die Kapern abspülen, trocken tupfen und mit Essig, Senf, Dill und weißem Pfeffer zur Mayonnaise geben. Aufschlagen, bis sich alle Zutaten gerade eben miteinander verbunden haben, dann abdecken und beiseitestellen.

Die Sardinen mit Küchenpapier trocken tupfen. Weizen- und Reismehl sieben, mit Zitronenschale, 1 Prise Salz und reichlich schwarzem Pfeffer in eine flache Schüssel geben und verrühren. Die Sardinen darin wenden, bis sie ganz mit Mehl überzogen sind.

In einer großen, hohen Kasserolle ca. 5 mm hoch Öl gießen und bei mittlerer Temperatur erhitzen. Die Sardinen von beiden Seiten je 1–2 Min. braten, bis sie gar und goldbraun sind. Mit einem Schaumlöffel herausnehmen und auf Küchenpapier abtropfen lassen. Beiseitestellen und warm halten.

Eine saubere Kasserolle mit Wasser füllen und auf 80 °C bzw. bis knapp unter den Siedepunkt erhitzen. Jedes Ei separat zubereiten. Dazu jeweils ein Ei über einem Schaumlöffel aufschlagen (sodass wässriges Eiweiß ablaufen kann) und in das sanft köchelnde Wasser gleiten lassen. Darin 4 Min. garen, danach das Ei mit dem Schaumlöffel wieder herausheben und auf Küchenpapier abtropfen lassen. Abdecken und warm stellen, dann die restlichen Eier pochieren.

Auf jeden Teller eine getoastete Brotscheibe legen und darauf die Tomaten, je vier Sardinen, das Ei und einen großzügigen Klecks Mayonnaise anrichten. Zum Abschluss großzügig Pfeffer darübermahlen und mit frischem Dill garnieren.

SCHOKO-KIRSCH-PFANNKÜCHLEIN

Diese Pfannkuchentürme passen prima zu einem besonderen Frühstück oder Brunch. Man kann sie aber auch als Dessert servieren. Ich gebe in den Teig tiefgekühlte Sauerkirschen, aber du kannst genauso gut Schattenmorellen aus dem Glas nehmen (vorher unbedingt gründlich abtropfen lassen!) oder am allerbesten frische, wenn gerade Saison ist. Die Mandelstifte bei 180 °C 6–8 Min. im Backofen rösten und dabei nicht aus den Augen lassen, damit sie nicht verbrennen. Buchweizenmehl gibt es in Bioläden und Reformhäusern.

300 g Buchweizenmehl
2 TL Backpulver
2 TL Natron
½ TL gemahlener Zimt
1 EL ungesüßtes Kakaopulver (optional)
500 ml Buttermilch
1 großes Bio-Ei
2 EL heller Agavendicksaft (siehe Seite 10), zzgl. Agavendicksaft zum Servieren (optional)
60 g Butter, zzgl. Butter zum Backen
300 g tiefgekühlte Sauerkirschen
200 g Crème fraîche
200 g frische Süßkirschen (ersatzweise abgetropfte Kirschen aus dem Glas), halbiert und entsteint
50 g gehackte Mandeln, geröstet

Ergibt 16 Stück

Den Backofen auf 130 °C Umluft vorheizen und ein Backblech mit Backpapier auslegen.

Die trockenen Zutaten in eine große Schüssel sieben und beiseitestellen.

Buttermilch, Ei und Agavendicksaft in einen Krug füllen und mit dem Schneebesen aufschlagen. Die Butter zerlassen und einrühren.

In der Mitte der trockenen Zutaten eine Mulde formen und die flüssigen Zutaten hineingießen. Mit einem Holzkochlöffel alles miteinander vermischen, bis sich die Zutaten zu einem Teig verbunden haben. Die Tiefkühlkirschen auftauen, auf Küchenpapier abtropfen lassen und behutsam unter den Teig heben.

In einer großen beschichteten Crêpe- oder Bratpfanne ½ TL Butter bei mittlerer Temperatur zerlassen. Drei Teigportionen in die Pfanne geben (ca. 3 EL pro Küchlein) und 2–3 Min. backen, bis die Unterseite gebräunt ist. Die Pfannkuchen behutsam wenden und weitere 2–3 Min. von der anderen Seite backen, danach auf das vorbereitete Blech legen und im Backofen warm halten. Den restlichen Teig auf die gleiche Weise verarbeiten und vorher je ½ TL Butter in die Pfanne geben.

Je drei oder vier Pfannkuchen mit einem Klecks Crème fraîche dazwischen aufeinanderschichten. Jeden Stapel mit einem finalen Klecks Crème fraîche, frischen Kirschenhälften, den Mandeln und ein paar zusätzlichen Tropfen Agavendicksaft (falls gewünscht) garnieren.

PILZ-SPINAT-OMELETT MIT KÄSE

Das hier ist mein „fluffiges" Omelett, das seine luftig-leichte Konsistenz der Tatsache verdankt, dass ich die Eier im Mixbehälter der Küchenmaschine aufschlage. Wer mag, kann gebuttertes Toastbrot dazu reichen.

3 Bio-Eier
3 EL Milch
25 g Butter, zzgl. Butter zum Braten
50 g Shiitakepilze, in Scheiben geschnitten (oder ganze Pilze verwenden, falls sie klein sind)
50 g Champignons, in Scheiben geschnitten
Blättchen von 2 Thymianzweigen
1 Handvoll junge Spinatblätter
30 g Emmentaler, in feine Scheiben geschnitten
Meersalz und frisch gemahlener schwarzer Pfeffer

Für 1–2 Personen

Die Eier, die Milch und 1 Prise Salz im Mixbehälter der Küchenmaschine 30–40 Sek. aufschlagen, bis alles gut vermischt und schaumig ist, dann beiseitestellen.

Die Butter in einer beschichteten Pfanne bei hoher Temperatur zerlassen. Die Pilze und einen Großteil des Thymians (bis auf eine kleine Portion zum Garnieren) hinzufügen, dann mit Salz und Pfeffer kräftig würzen und 4–5 Min. braten, bis die Pilze gerade eben weich sind. Auf einen Teller geben und warm halten.

Die Pfanne mit Küchenpapier auswischen und eine kleine Extraportion Butter bei niedriger Temperatur zerlassen. Die Eimasse zugießen und 4–5 Min. garen, bis das Omelett an den Rändern zu stocken beginnt. Die Pilze, den Spinat und den Käse auf die eine Omeletthälfte geben, dann die andere Hälfte über die Füllung klappen und 1–2 Min. weitergaren. Das Omelett wenden und etwa 1 Min. weiterbraten, bis es gerade eben gar ist. Anrichten, mit dem restlichen Thymian bestreuen und sofort servieren.

MANDARINEN-PISTAZIEN-MUFFINS MIT MOHN

Diese Muffins eignen sich wunderbar für ein schnelles Frühstück oder als Snack bei der Arbeit – einfach Sonntagabend einen Schwung davon backen und schon hat man ein paar Tage Ruhe. Eines solltest du aber bedenken, bevor du deinen Chef anlächelst: Du könntest Mohn zwischen den Zähnen haben!

4 unbehandelte Mandarinen
300 g Mehl
2 TL Backpulver
2 TL gemahlener Zimt
120 g brauner Zucker
4 große Bio-Eier
125 g Butter, zerlassen und leicht abgekühlt
2 TL Orangenblütenwasser
140 g gehackte Pistazien
1 EL Mohnsamen
feinkörniges Salz

Ergibt 10 große Muffins

Den Backofen auf 180 °C Umluft vorheizen. Zehn Quadrate aus Backpapier ausschneiden und damit zehn Mulden eines 12er-Muffinblechs auskleiden.

Die Schale von einer Mandarine fein abreiben und beiseitestellen. Alle Mandarinen schälen und in einzelne Segmente teilen, dabei die weiße Haut und ggf. Kerne entfernen (man braucht 350 g Mandarinenfilets), die Segmente halbieren und beiseitestellen.

Das Mehl mit Backpulver, Zimt, Zucker und 1 Prise Salz in eine große Schüssel sieben und verrühren.

In einer weiteren Schüssel die Eier leicht verquirlen. Die abgekühlte zerlassene Butter, das Orangenblütenwasser und die Mandarinenschale unterrühren, dann das Ganze zu den trockenen Zutaten gießen und mit einem Holzkochlöffel zu einem Teig vermischen.

Eine Handvoll Mandarinenfilets zum Garnieren beiseitestellen und die restlichen Mandarinen zusammen mit 100 g Pistazien und drei Vierteln der Mohnsamen in den Teig geben. Alles behutsam unterziehen.

Den Teig löffelweise in die mit Backpapier ausgelegten Muffinmulden verteilen und die beiseitegestellten Mandarinenstücke daraufsetzen. Die restlichen Pistazien und Mohnsamen darüberstreuen.

Im Ofen 25–30 Min. backen, bis ein mittig in einen Muffin gestochenes Holzstäbchen nahezu sauber wieder herauskommt. Die Muffins in der Form leicht abkühlen lassen, dann herausnehmen und auf einem Tortengitter vollständig abkühlen lassen.

CHORIZO-RÖSTI MIT ENTENEIERN UND SARDELLENMAYONNAISE

Zu diesem Rezept wurde ich auf meiner jüngsten New-York-Reise angeregt, bei der ich *ramps* probierte, ein in Nordamerika sehr beliebtes Lauchgemüse, das geschmacklich dem Bärlauch ähnlich ist. Wenn du keine Enteneier auftreiben kannst, verwende stattdessen vier große Bio-Eier. Wer mag, kann Schmortomaten als Beilage servieren.

800 g Kartoffeln, unter fließendem Wasser abgebürstet und grob gerieben
25 g zerlassene Butter
1 Zwiebel, fein gehackt
4 Knoblauchzehen, 2 fein gehackt, 2 halbiert
220 g Chorizo von guter Qualität, fein gewürfelt
Oliven- oder Reiskeimöl zum Braten

2 Bund Frühlingszwiebeln (nur die weißen und hellgrünen Teile verwenden), längs halbiert
4 Bio-Enteneier
fein geschnittener Dill zum Garnieren
Meersalz und frisch gemahlener schwarzer Pfeffer

SARDELLENMAYONNAISE
2 Bio-Eigelb
1 EL Zitronensaft
125 ml Rapsöl
2 TL Dijonsenf
1 EL Weißweinessig
2 große Sardellen, gründlich abgespült und gehackt
1 TL Worcestersauce
Meersalz und frisch gemahlener weißer Pfeffer

Für 4 Portionen

Die geriebenen Kartoffeln in ein sauberes Geschirrtuch geben und kräftig ausdrücken, um so viel Flüssigkeit wie möglich herauszupressen. Kartoffeln mit der zerlassenen Butter in eine Schüssel füllen und mit Salz und Pfeffer würzen. Gründlich vermischen, dann beiseitestellen.

In einer großen beschichteten Pfanne 1 EL ÖL bei mittlerer Temperatur erhitzen. Die Zwiebel und den Knoblauch darin 4–5 Min. anbraten, bis sie weich sind. In die Schüssel zur Kartoffelmasse geben.

In derselben Pfanne 2 TL Öl bei mittlerer Temperatur erhitzen. Die Chorizowürfel darin unter Rühren 3–4 Min. anbraten, bis sie leicht gebräunt sind. Zur Kartoffelmasse geben und alles gründlich vermischen.

Den Backofen auf 180 °C Umluft vorheizen und ein Backblech mit Backpapier auslegen.

Die Pfanne mit Küchenpapier auswischen, dann 1 EL Öl zugießen und bei mittlerer bis hoher Temperatur erhitzen. Ein Viertel der Kartoffelmasse löffelweise in die Pfanne geben und grob zu einem Kreis formen. Mit dem Pfannenwender glatt streichen und braten, bis die Unterseite gebräunt ist, dann wenden und weitere 2 Min. braten. Auf das vorbereitete Backblech legen und mit der restlichen Kartoffelmasse ebenso verfahren, bis alle vier Rösti zubereitet sind. Dazu bei Bedarf noch etwas Öl zum Braten in die Pfanne gießen.

Das Blech in den Ofen schieben und die Rösti 20–25 Min. backen, bis sie goldbraun, knusprig und gut durchgegart sind.

Für die Mayonnaise Eigelb, Zitronensaft und 1 Prise Salz in den Mixbehälter der Küchenmaschine füllen. Auf höchster Stufe 1 Min. aufschlagen, dann das Öl bei laufendem Motor in dünnem, gleichmäßigem Strahl zugießen, bis eine dicke, glänzende Mayonnaise entstanden ist. Die restlichen Zutaten hinzufügen und weitere 30 Sek. schlagen, bis sich alle Zutaten miteinander verbunden haben. Abdecken und bis zur Weiterverwendung beiseitestellen.

Bei mittlerer Temperatur 1 EL Öl in der Pfanne erhitzen, die halbierten Knoblauchzehen hinzufügen und 1 Min. unter Rühren anbraten, dann den Knoblauch herausnehmen und wegwerfen. Die Frühlingszwiebeln in die Pfanne geben und unter mehrmaligem Schwenken 3–4 Min. braten, bis sie eine leicht goldbraune Färbung angenommen haben und gerade eben weich sind.

Aus der Pfanne nehmen und zum Warmhalten abdecken.

Die Pfanne erneut mit Küchenpapier aus-wischen, 1 EL Öl hineingeben und bei mittlerer Temperatur erhitzen. Je nach Größe der Pfanne ggf. mehrere Eier gleichzeitig zubereiten. Dazu die Eier in die Pfanne schlagen und 2 Min. braten, dann den Deckel schließen und weitere 1½ Min. garen, bis die Unterseite knusprig und das Eigelb noch flüssig ist.

Auf jedem Rösti einige Frühlingszwiebeln und ein Spiegelei anrichten, Mayonnaise darüberträufeln, mit Salz und Pfeffer würzen und mit Dill bestreuen.

ÜBERBACKENE EIER IN SAUERRAHM-MÜRBETEIG-TARTELETTES

Diese kleinen Tartelettes sind erstaunlich geschmacksintensiv, obwohl sie nur wenige Zutaten enthalten. Verwende am besten einen Teig, von besonders guter Qualität. Ich nehme einen Mürbeteig der Marke Carême, der hervorragende Backergebnisse liefert. Das Trüffelöl in diesem Gericht ist optional, verleiht den Tartelettes aber eine besondere Geschmacksnote.

1 Paket Sauerrahm-Mürbeteig (445 g) oder
2 Lagen Blätterteig (à 25 cm x 25 cm), Tiefkühlware, aufgetaut
2 EL Milch
1 Bio-Eigelb
8 dünne Scheiben italienischer roher Schinken, längs halbiert
8 Bio-Eier
100 g geriebener Greyerzer, zzgl. etwas zum Servieren
weißes Trüffelöl (optional), feine Schnittlauchröllchen und frisch gemahlener bunter Pfeffer zum Servieren

Ergibt 8 Stück

Den Backofen auf 180 °C Umluft vorheizen und acht Mulden eines 12er-Muffinblechs einfetten.

Den Teig in acht 12 cm große Quadrate schneiden und damit die Mulden des Muffinblechs auskleiden, den Teig dabei entsprechend in Falten legen, um kleine zipfelige Tartelettes zu formen. Sich überlappende Teigpartien immer flach modellieren, damit der Teig an allen Stellen möglichst gleich dick ist. Den Teig gleichmäßig mit einer Gabel einstechen.

Acht Quadrate aus Backpapier ausschneiden, die etwas größer als die Teigquadrate sind. Das Papier zusammenknüllen und danach wieder glatt streichen. Mit dem grob geglätteten Papier die Tartelettes auslegen. Mit Backerbsen oder Reis befüllen und 10 Min. blindbacken. Das Papier und die Backerbsen bzw. den Reis entfernen und nochmals etwa 10 Min. backen, bis die Teigböden gar sind. (Blätterteig, falls verwendet, wird nicht blindgebacken.)

Die Milch mit dem Eigelb verquirlen und die Tartelettes mit dieser Mischung bestreichen. Jeden Teigboden mit zwei dünnen Schinkenstreifen auskleiden, dann in jede Tartelette ein Ei schlagen und den Käse darüberstreuen.

12–15 Min. backen, bis der Teig goldgelb ist und das Ei stockt. In der Form leicht abkühlen lassen, dann herausnehmen und mit ein paar Tropfen Trüffelöl (falls gewünscht), etwas Schnittlauch und frisch gemahlenem Pfeffer garniert servieren. Nach Belieben mit mehr geriebenem Käse bestreuen.

APFEL-MANDEL-SCHNECKEN

Das ist meine selbstkreierte französische Gebäckvariante. Selbstgemachter Blätterteig erfordert zwar etwas Geduld, aber die weitere Zubereitung ist easy und schmeckt äußerst lecker zum Kaffee oder beim Sonntagsbrunch. Wenn du nicht so viel Zeit hast, kannst du auch fertigen Blätterteig, kaufen.

150 g Honig, zzgl. etwas zum Beträufeln
2 EL Ahornsirup ½ TL Ingwerpulver 1½ TL gemahlener Zimt
2 TL Vanillepaste, ersatzweise ein Tütchen Vanillezucker
150 g gehackte Mandeln, geröstet
3 grüne Äpfel, geschält, Kerngehäuse entfernt und in 1,5 cm große Würfel geschnitten, mit dem Saft von ½ Zitrone vermischt
1 Bio-Eigelb, mit einem Schuss Milch verquirlt
geröstete Mandelblättchen zum Bestreuen

BLÄTTERTEIG
250 g ungesalzene Butter, gekühlt und gewürfelt
125 g Vollkornmehl, gesiebt, zzgl. Vollkornmehl zum Bestäuben
125 g Weizenmehl, gesiebt feinkörniges Salz

Ergibt 18 Stück

Für den Teig 200 g gewürfelte Butter ins Tiefkühlfach legen, bis sie sehr kalt ist. Die beiden Mehlsorten und 1 kräftige Prise Salz in den Mixbehälter der Küchenmaschine füllen und wiederholt den Intervallschalter betätigen, bis alles vermischt ist. Die übrigen 50 g Butter in Intervallen einarbeiten.

Die kalte Butter in Würfel schneiden, zugeben und ein- bis zweimal den Intervallschalter betätigen, dann 2½ EL kaltes Wasser hinzugießen und einmal auf den Intervallschalter drücken. Weitere 2½ EL kaltes Wasser zugeben und ein- bis zweimal den Intervallschalter betätigen, bis sich die Zutaten gerade eben zu einem Teig verbinden. Den Teig auf eine leicht bemehlte Arbeitsfläche geben, mit etwas Mehl bestäuben und mit den Händen zu einer dicken Rolle formen. Diese in Frischhaltefolie wickeln und für 30 Min. in den Kühlschrank legen.

Den gekühlten Teig auf einer leicht bemehlten Arbeitsfläche zu einem Rechteck von 50 cm x 25 cm ausrollen.

Das obere Drittel des mit der kurzen Seite zu dir gewandten Teigs zur Mitte hin einklappen, dann das untere Drittel nach oben über den Teig klappen. Den Teig um 90° drehen (Vierteldrehung) und ihn erneut auf die ursprüngliche Größe des Rechtecks ausrollen. Diese Prozedur vier- bis fünfmal wiederholen und den Teig dabei nach jedem zweiten Durchgang in Frischhaltefolie wickeln und 15 Min. kühlen, damit er sich leicht bearbeiten lässt. Sobald die Falt- und Ausrollprozedur beendet ist, den Teig in Frischhaltefolie wickeln und 2 Std. kühlen.

Den Backofen auf 180 °C Umluft vorheizen und zwei Backbleche mit Backpapier auslegen.

Den gekühlten Teig auf einer leicht bemehlten Arbeitsfläche zu einem Quadrat von 50 cm x 50 cm ausrollen.

Honig, Ahornsirup, Ingwer, Zimt und die Vanillepaste in einer kleinen Schüssel vermischen. Die Mischung mithilfe eines Teigschabers auf der Teigfläche verteilen und dabei einen Rand von 3 cm frei lassen. Mandeln und Apfelwürfel darüberstreuen. Das Ganze wie eine Biskuitrolle behutsam und so eng wie möglich aufrollen, ohne dass der Teig bricht. Rundum mit der Milch-Ei-Mischung bestreichen. Die Rolle mit einem scharfen Messer in 2 cm dicke Scheiben schneiden. Die Scheiben in einem Abstand von je 2 cm auf den vorbereiteten Blechen verteilen, mit wenig Honig beträufeln und mit Mandelblättchen bestreuen. 25–30 Min. backen, bis die Schnecken eine goldbraune Färbung angenommen haben.

Warm oder kalt servieren.

RINDFLEISCH UND EIER NACH MEXIKANISCHER ART

Früher gab es Chipotle-Sauce und frische Jalapeños nur in den USA zu kaufen, aber mittlerweile ist beides auch vereinzelt in Deutschland erhältlich. Ich mag besonders *Goya chipotle sauce*: Sie ist nicht so scharf und wird in praktischen, nicht allzu großen Flaschen geliefert.

1 EL Olivenöl
1 Zwiebel, fein gehackt
400 g mageres Hackfleisch vom Bio-Rind
60 ml Chipotle-Sauce
1 Dose (400 g) stückige Tomaten
1 große Handvoll Korianderblätter, grob gehackt, zzgl. einige Blätter zum Servieren
4 Bio-Eier
1 Jalapeño, in dünne Ringe geschnitten
Meersalz und frisch gemahlener schwarzer Pfeffer

Für 4 Personen

Das Öl in einer großen Kasserolle bei mittlerer bis hoher Temperatur erhitzen. Die Zwiebel und 1 Prise Salz hineingeben und unter häufigem Rühren 3–4 Min. anbraten, bis die Zwiebel weich ist. Die Temperatur noch erhöhen, das Rinderhackfleisch hinzufügen und unter gelegentlichem Rühren etwa 5 Min. anbraten, bis es gebräunt ist, dabei gleichzeitig alle Klumpen zerdrücken. Die Chipotle-Sauce, die Tomaten und den Koriander unterrühren, mit Salz und Pfeffer abschmecken, danach auf mittlere Temperatur reduzieren und 5–6 Min. köcheln lassen, bis das Ganze leicht eingedickt ist.

In die Hackfleischmasse an vier Stellen mit einem Löffelrücken eine Mulde drücken und in jede Vertiefung ein Ei schlagen. Den Deckel auflegen und 5–7 Min. garen, bis die Eier gestockt sind. Mit der Chili und etwas Koriander garnieren, schwarzen Pfeffer darübermahlen und sofort servieren.

GALETTES MIT SPINAT UND RICOTTA

Dieses leichte Gericht ist gesund und sehr lecker und wartet mit einer hübschen Mischung verschiedener Konsistenzen auf. Hot Sauce (Chilisauce) ist in ausgesuchten Feinkostgeschäften erhältlich (ich verwende *Crystal hot sauce*, die du online bei *thegourmetgrocer.com.au* bestellen kannst; Deutsche werden bei *chili-shop24.de* fündig).

300 g Buchweizenmehl
1 großes Bio-Ei
900 ml Milch
mildes Olivenöl- oder Rapsölspray
Sauerrahm, Hot Sauce und Minzeblätter zum Servieren
Meersalz und frisch gemahlener schwarzer Pfeffer

RICOTTAFÜLLING
250 g frischer Ricotta
225 g junge Spinatblätter, geputzt
4 Frühlingszwiebeln, geputzt, weiße und grüne Teile fein gehackt
1 große Handvoll Minzeblätter, fein gehackt
40 g Pinienkerne, geröstet

Für 6–8 Personen

Den Backofen auf 130 °C Umluft vorheizen und ein Backblech mit Backpapier auslegen.

Das Mehl und 1 Prise Salz in eine große Rührschüssel füllen. Das Ei und 60 ml von der Milch hinzufügen und mit dem Handmixer aufschlagen, bis sich die Zutaten miteinander verbunden haben. Die restliche Milch unter ständigem Rühren zugießen, bis ein geschmeidiger Teig entstanden ist. Mit Pfeffer würzen und in einen Krug füllen.

Eine beschichtete Crêpe- oder Bratpfanne von 20 cm Ø mit etwas Öl einsprühen und stark erhitzen. Sobald sie heiß ist, eine kleine Schöpfkelle Teig (knapp 60 ml) hineingeben und die Pfanne so schwenken, dass der Teig den Boden gleichmäßig dünn überzieht. 40–50 Sek. backen, bis die Galette knusprig gebräunte Ränder bekommt, dann mithilfe eines Pfannenwenders wenden und weitere 30 Sek. backen. Auf das vorbereitete Blech gleiten lassen und im Backofen warm halten. Den restlichen Teig ebenso verarbeiten; die Menge reicht für etwa 24 desserttellergroße Galettes.

In der Zwischenzeit alle Zutaten für die Füllung in einer Schüssel vermengen. Mit Salz und Pfeffer abschmecken und beiseitestellen.

Zum Anrichten auf jede Galette eine dicke Schicht Sauerrahm streichen und darauf etwas Füllung geben. Mit einem Spritzer Hot Sauce würzen und mit Minzeblättern garnieren, dann die Galettes einrollen und servieren.

Menu

POST CARD
CARTE POSTALE

Brathähnchen mit Speck-Grünkohl-Mandel-Füllung Seite **105**

Gefülltes Schweinefilet mit Cidre und Ahornsirup Seite **118**

Gemüsesalat mit Ziegenkäse und Haselnüssen Seite **164**

Stampfkartoffeln mit Rosmarin Seite **160**

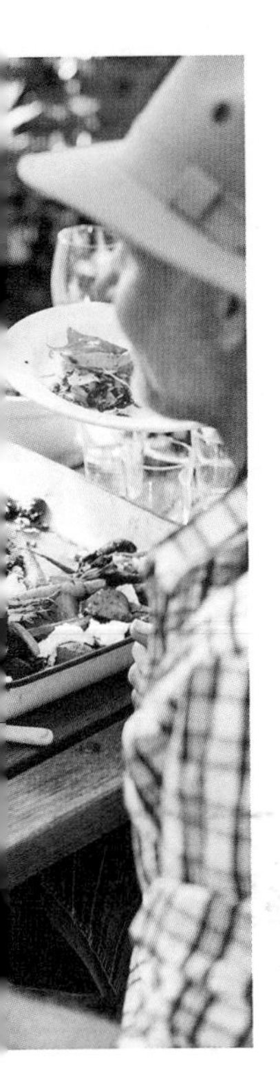

Kurz vor meiner Reise nach Europa im Winter 2013 (an die Tatsache, dass von Juni bis August in Australien Winter herrscht, muss ich mich immer noch gewöhnen – diese Monate werden immer Sommermonate für mich bleiben…), war ich für ein Fotoshooting im Barossa Valley gebucht, das nordöstlich von Adelaide im australischen Bundesstaat South Australia liegt. Es ist in erster Linie ein Weinbaugebiet und gleichzeitig eine Gegend, in die ich mich total verliebt habe – nicht nur wegen der Schönheit der atemberaubenden Landschaften, sondern auch wegen ihrer Bewohner. Sie sind die wahrscheinlich warmherzigsten, sympathischsten und gastfreundlichsten Menschen, die ich je in diesem unglaublichen Land getroffen habe.

Ich sollte dort einige Landwirte und handwerkliche Lebensmittelerzeuger ablichten, darunter Käser, Bauern, Produzenten von hausgemachten Mixed Pickles, Rauchfleischhersteller, Pastabetriebe, Winzer und Gastronomen. Unter diesen Menschen war auch die wunderbare Jan Angas. Sie und ihr Mann John züchten Schafe und unterhalten einen Weinberg namens Hutton Vale. Ihre Weinkellerei ist einfach

umwerfend. Schon bei der Anfahrt konnte ich nur mit offenem Mund staunen, und noch mehr packte es mich, als ich die vielen Nebengebäude und das Haupthaus erkundete. Ein wahres Paradies für Nostalgiker – der Ort atmet Geschichte und strahlt ganz viel Liebe aus. Zwischen den Shootings mit Jan und ihren Erzeugnissen konnte ich nicht anders, als immer weiter drauflos zu fotografieren. Mir war klar: Eines Tages musste ich hierher zurückkehren und Aufnahmen für mein nächstes Buch machen.

Also fuhr ich im Oktober 2013 wieder ins Barossa Valley – diesmal zu Michael Wohlstadt. Michael ist einer der gastfreundlichsten Menschen, den man sich denken kann. Er hat eine Freiland-Schweinezucht und betreibt eine Molkerei sowie ein fantastisches Gästehaus namens „Dairyman's Cottage". Ich schoss hingerissen ein Foto nach dem anderen von Michaels vielen kleinen Ferkeln und schlenderte mit Vergnügen auf seiner Farm herum. Dabei sind viele schöne Schnappschüsse entstanden. Drüben im Gästehaus erwartete mich ein umwerfendes Tablett voller leckerer lokaler Produkte, inklusive Wurst, Käse und Wein. Am Abend haben wir bei einem Glas Rotwein zusammengesessen und Michaels unglaublich würzige, geröstete Mandeln gekostet (siehe Rezept auf Seite 220).

Weiter geht's …

Orte, an denen ich gewesen bin, und interessante Internetseiten:

huttonvale.com
barossaheritagepork.com.au
dairymanscottage.com.au
barossafarmersmarket.com.au
saskiabeer.com

Am nächsten Morgen bin ich sehr früh aufgestanden, um auf den Barossa Farmers' Market zu gehen und mich dort mit den besten regionalen Produkten einzudecken: mit Bio-Freilandhühnern von Saskia Beer (Maggies Tochter), Gemüse und diversen Käse- und Brotsorten. Danach machte ich mich auf nach Hutton Vale, wo ich als Dankeschön für all jene kochen wollte, die ich bei meinem ersten Besuch im Barossa Valley kennengelernt hatte. Es war unglaublich: Die Hilfsbereitschaft aller, mit anzupacken und mir bei meinen Essensvorbereitungen unter die Arme zu greifen, hat mich schlichtweg überwältigt. Ich denke gern an den Moment zurück, als ich in der Küche stand und meinen Gästen beim Gemüseschneiden, Zerbröseln des Brotes, der Fleischzubereitung und ganz allgemein bei ihrem erstaunlich zuvorkommenden und freundlichen Miteinander zusah. Nach einigen Stunden des Vorbereitens und Kochens saßen wir dann endlich alle bei Tisch (oder besser gesagt, alle außer mir, denn ich habe ein, zwei Stunden lang wie wild fotografiert!) und konnten das Essen und den Wein genießen. Wir hatten eine tolle Zeit bis in die frühen Morgenstunden und öffneten eine ausgezeichnete Hutton-Vale-Weinflasche nach der anderen, die John großzügig beigesteuert hatte. Ich habe wundervolle Erinnerungen an diesen Abend draußen am Kamin, umgeben von all den tollen Menschen, von denen ich hoffe, dass sie Freunde fürs Leben bleiben werden.

HUTTON VALE

LBS FX

CRUTCHINGS

CATARPO

RFA

McDONALD Imperial
ROTAMATIC RELAY PULSATION
MILKING MACHINE

FLOUR
Farm Follies
$8 each 2 for $15
WINE OF THE WEEK
Welcome

ALLSPI
NUTMEG
CLOVE
MAC
GINGE
HEAT OVEN TEN

SALATE UND SUPPEN

SEEDLINGS

ML46
SOC.
COOP.
A R.L.

KRÄUTER-BULGUR MIT HALB GETROCKNETEN TOMATEN

Bulgur ist eine noch recht neue Zutat für mich. Ich verwende sie erst, seitdem sie im Mittelpunkt eines Fotoshootings stand, das ich für das US-Magazin *Eating Well* gemacht habe. Bulgur hat eine wunderbare Konsistenz und findet vor allem Verwendung in den klassisch orientalischen Taboulé. Wenn du eine glutenfreie Version möchtest, kannst du stattdessen weiße Quinoa nehmen.

6 Romatomaten, geviertelt
160 g Bulgur (grobe Körnung)
70 g Kürbiskerne
40 g Mandelblättchen
1 große Handvoll Minzeblätter, fein gehackt
1 große Handvoll Basilikumblätter, fein gehackt
Meersalz und frisch gemahlener schwarzer Pfeffer
Olivenölspray

Für 4 Personen als Beilage

Den Backofen auf 130 °C Umluft vorheizen und ein Backblech mit Backpapier auslegen.

Die Tomatenstücke auf das Blech legen, mit Pfeffer und Salz würzen und mit etwas Öl besprühen. Etwa 2 Std. im Backofen trocknen, bis sie einfallen und an den Rändern braun zu werden beginnen.

Inzwischen den Bulgur in einer Schüssel mit 625 ml kaltem Wasser übergießen. 1 Std. quellen lassen, dann abtropfen lassen, abspülen und das überschüssige Wasser ausdrücken. Bis zur Weiterverwendung beiseitestellen.

Ein weiteres Backblech mit den Kürbiskernen und den Mandelblättchen bestreuen, zu den Tomaten in den Ofen schieben und etwa 12 Min. backen, bis die Kerne und die Mandeln leicht geröstet sind. Aus dem Ofen nehmen und zum Abkühlen beiseitestellen.

Alle Zutaten in eine große Schüssel geben, kräftig würzen und vermischen, bis die Zutaten gleichmäßig verteilt sind, anschließend servieren.

RÄUCHERFORELLEN-EIER-KARTOFFEL-SALAT

№. 50

Die Zutaten in diesem Salat harmonieren unglaublich gut miteinander. Falls noch Mayonnaise übrig bleiben sollte, lässt sie sich in einem luftdicht verschlossenen Behälter bis zu drei Tage lang im Kühlschrank aufbewahren.

3 grüne Äpfel, halbiert, Kerngehäuse entfernt, in dünne Scheiben geschnitten
Saft von ½ Zitrone 500 g kleine Kartoffeln, mit Schale, gewaschen
8 Radieschen, in dünne Scheiben geschnitten Eiswasser
4 Bio-Eier (Größe M) 2 große Handvoll Brunnenkresse
400 g geräuchertes Meerforellenfilet, zerzupft
1 Handvoll Minzeblätter (optional)
natives Olivenöl extra zum Beträufeln
Meersalz und frisch gemahlener schwarzer Pfeffer

CIDRE-MAYONNAISE

2 Bio-Eigelb 1 EL Zitronensaft 125 ml Rapsöl
2 TL Dijonsenf 2 TL Cidre-Essig
3 EL trockener Cidre
Meersalz und frisch gemahlener weißer Pfeffer

Für 4 Personen als Hauptgericht oder für 6–8 Personen als Beilage

Die Apfelscheiben in eine Schüssel legen und im Zitronensaft wenden, damit sie nicht braun werden. Vor der Weiterverwendung abtropfen lassen.

Die Kartoffeln in einem großen Topf mit Salzwasser zum Kochen bringen. Bei mittlerer Temperatur 20–25 Min. köcheln lassen, bis ein mittig in eine Kartoffel gestochenes Messer problemlos hineingleitet. Abtropfen lassen und zum Abkühlen beiseitestellen, dann in 1 cm dicke Scheiben schneiden.

Inzwischen die Radieschenscheiben in eine Schüssel mit Eiswasser geben und etwa 10 Min. stehen lassen, bis sie sich an den Rändern verformen, dann abtropfen lassen.

Die Eier in eine kleine Kasserolle legen, mit kaltem Wasser bedecken und bei hoher Temperatur zum Kochen bringen. Auf mittlere Temperatur reduzieren und 3 Min. köcheln lassen, dann die Eier in kaltem Wasser abschrecken, um den Garprozess zu stoppen. Sobald sie nicht mehr zu heiß zum Anfassen sind, die Eier pellen und längs halbieren, dann beiseitestellen.

Für die Cidre-Mayonnaise Eigelb, Zitronensaft und 1 Prise Salz in den Mixbehälter der Küchenmaschine füllen. Auf höchster Stufe 1 Min. aufschlagen, dann bei laufendem Motor das Öl in dünnem, gleichmäßigem Strahl zugießen, bis eine dicke, glänzende Mayonnaise entstanden ist. Den Senf, Essig und Cidre hinzufügen, mit Salz und weißem Pfeffer abschmecken und nochmals aufschlagen, bis alle Zutaten miteinander verbunden sind (ergibt gut 200 ml).

Die Apfel-, Kartoffel- und Radieschenscheiben mit Eiern, Brunnenkresse und Räucherforelle vermischen, dann die Mayonnaise – ganz oder teilweise – unterheben. Kräftig abschmecken, mit Olivenöl beträufeln und, falls gewünscht, mit Minzeblättern garniert servieren.

SALAT MIT ROHEM SCHINKEN, FEIGEN UND GEGRILLTEN PFIRSICHEN

No. 52

Für diesen Salat nehme ich gern Prosciutto San Daniele und meinen Lieblingsblauschimmelkäse Irish Cashel Blue, denn der ist supercremig und im Geschmack nicht so dominant, dass er die anderen Zutaten überdecken würde. Falls Brunnenkresse gerade keine Saison hat, kannst du stattdessen Gartenkresse oder Rucola verwenden.

8 frische Feigen, längs halbiert
125 ml heller Agavendicksaft (siehe Seite 10)
200 g Pekannusskerne
8 reife Pfirsiche, halbiert und entsteint
12 Scheiben roher Schinken
200 g milder, cremiger Blauschimmelkäse von guter Qualität, zerbröselt
1 Handvoll Brunnenkresse
1 Handvoll Minzeblätter
mildes Olivenölspray
Meersalz und frisch gemahlener schwarzer Pfeffer

CREMIG-SÜSSES DRESSING

100 g Crème fraîche
2 TL heller Agavendicksaft
Saft von 1 kleinen Zitrone
1 TL Dijonsenf

Für 8 Personen als Beilage

Den Backofen auf 180 °C Umluft vorheizen und ein Backblech mit Backpapier auslegen.

Die Feigenhälften mit der Schnittfläche nach oben auf das vorbereitete Backblech legen. Mit 1 EL Agavendicksaft beträufeln und 7 Min. backen, dann aus dem Ofen holen und beiseitestellen.

In der Zwischenzeit die Pekannüsse in einer beschichteten Pfanne bei mittlerer Temperatur 4–5 Min. unter häufigem Rühren ohne Fettzugabe rösten, bis sie leicht gebräunt sind. 1 EL Agavendicksaft in die Pfanne geben und die Nüsse damit überziehen. Aus der Pfanne nehmen und zum Abkühlen beiseitestellen, dann alle Pekannusskerne längs in Scheiben schneiden oder in der Küchenmaschine hobeln.

Pfirsiche auf der Schnittfläche mit Olivenöl besprühen. In einer Schüssel den restlichen Agavendicksaft und 80 ml kaltes Wasser vermischen.

Eine Grillpfanne mittel bis stark erhitzen, bis sie fast raucht, dann die Pfirsiche mit der Schnittfläche nach unten portionsweise darin 2–3 Min. grillen, bis sich Grillstreifen abzeichnen. Die Pfirsiche wenden und 1 Min. weitergrillen, dann behutsam einige Löffel von der Agavendicksaft-Mischung darüberträufeln und nochmals etwa 1 Min. grillen. Aus der Pfanne nehmen und jede Pfirsichhälfte in drei Spalten schneiden.

Für das Dressing alle Zutaten in einer kleinen Schüssel verquirlen.

Zum Servieren alle Salatzutaten auf einem großen Teller oder einer Platte anrichten – Brunnenkresse und Minze obenauf – und mit Salz und Pfeffer würzen. Etwas Dressing darüberträufeln, den Rest separat zum Salat reichen.

NUDELSALAT MIT GARNELEN UND GURKE

Dieses Gericht wartet mit herrlich süßsauren Aromen auf. Und keine Sorge: Die Gurken selbst einzulegen, ist ein Kinderspiel! Wenn du es erst einmal probiert hast, wirst du total begeistert sein. Dieses Rezept schmeckt sowohl warm als auch kalt sehr gut. Nori-Algenflocken sind in ausgesuchten Bioläden und Reformhäusern sowie in Asialäden erhältlich.

800 g rohe Garnelen, ohne Kopf aber mit intaktem Schwanzsegment, ohne Darm
180 g Soba-Nudeln (japanische Buchweizennudeln)
2 lange rote Chilis, Samen entfernt und in feine Ringe geschnitten
Korianderblätter zum Garnieren
Tamari- oder helle Sojasauce zum Servieren

SOJA-INGWER-MARINADE
2 EL Tamari- oder helle Sojasauce
2 EL brauner Reisessig
1 EL Mirin (süßer japanischer Reiswein)
1 TL Fischsauce
1 TL extrafeiner Zucker
½ TL fein geriebener frischer Ingwer

EINGELEGTE GURKE
1 EL extrafeiner Zucker
1 EL schwarze Sesamsamen
1 TL Nori-Flocken (getrocknete Algen)
1 lange Salatgurke, in 1 cm dicke Würfel geschnitten
1 großzügige Prise Meersalz

Für 4 Personen als leichtes Mittagsgericht

Für die Marinade alle Zutaten in einer großen, flachen säurebeständigen Schüssel verquirlen. Die Garnelen hinzufügen und in der Marinade wenden, bis sie rundum damit überzogen sind, dann die Schüssel mit Frischhaltefolie abdecken und im Kühlschrank 1 Std. marinieren.

Für die eingelegte Gurke alle Zutaten in einer Schüssel vermischen und 30 Min. kalt stellen. Ein Stück Gurke probieren und mit Salz oder Zucker nachwürzen, dann beiseitestellen.

Eine große Pfanne oder einen Wok mittel bis stark erhitzen. Sobald die Pfanne bzw. der Wok heiß ist, die Garnelen mit Marinade hineingeben und etwa 2 Min. braten (dabei die Garnelen nach der Hälfte der Zeit wenden!), bis die Garnelen gar sind und die Marinade reduziert ist. Vom Herd nehmen und vollständig abkühlen lassen.

Die Nudeln in einem Topf mit siedendem Wasser 4 Min. garen, dann abtropfen lassen und unter fließendem kaltem Wasser abschrecken.

Nudeln, Garnelen, Gurke und Chiliringe in einer Schüssel vermengen. Auf einer Servierplatte anrichten und mit Koriander garnieren. Tamari- oder Sojasauce dazu reichen.

QUINOA-TRAUBEN-SALAT

Champagnertrauben sind sehr klein und schmecken wunderbar süß. Falls du sie im Handel nicht findest, verwende kleine kernlose dunkle Trauben oder halbierte große rote Trauben. Bei Grillfesten kommt dieser farbenfrohe Salat immer besonders gut an.

200 g rote Quinoa, abgespült
1 EL Olivenöl
½ TL gemahlener Zimt
1 Dose (400 g) Kichererbsen, abgespült und abgetropft
½ kleine rote Zwiebel, sehr fein gewürfelt
1 lange grüne Chili, Samen entfernt und sehr fein gewürfelt
1 große Handvoll Minzeblätter, fein gehackt, zzgl. einige ganze Minzeblätter zum Garnieren
300 g schwarze Champagnertrauben oder 380 g dunkle kernlose Trauben
130 g getrocknete Cranberrys
160 g Mandeln mit Haut, geröstet und grob gehackt

1 EL natives Olivenöl extra
fein abgeriebene Schale und Saft von 1 unbehandelten Zitrone
1 Handvoll junge Spinatblätter
Meersalz und frisch gemahlener schwarzer Pfeffer

Für 6 Personen als Beilage

Die Quinoa in 500 ml Wasser in einer Kasserolle bei hoher Temperatur zum Kochen bringen. Die Temperatur reduzieren und etwa 25 Min. köcheln lassen, bis die Quinoa weich ist und das gesamte Wasser aufgesogen wurde. Zum Abkühlen beiseitestellen.

In der Zwischenzeit das Öl in einer großen, beschichteten Pfanne bei mittlerer Temperatur erhitzen. Den Zimt zugeben und 10 Sek. verrühren. Die Kichererbsen zugeben, mit Salz und Pfeffer würzen und alles gut vermengen, dann unter gelegentlichem Rühren 6–8 Min. braten, bis die Kichererbsen goldbraun und leicht knusprig sind (aber Achtung: die Kichererbsen können in dem heißen Öl ein wenig spritzen!). Vom Herd nehmen und zum Abkühlen beiseitestellen.

Die abgekühlte Quinoa mit den Kichererbsen in einer großen Schüssel vermischen, dann Zwiebel, Chili, Minze, Trauben, Cranberrys und die Mandeln hinzufügen und verrühren.

Für das Dressing in einer kleinen Schüssel das Olivenöl und die Zitronenschale verquirlen und nach Belieben Zitronensaft hinzufügen. Mit Salz abschmecken, dann über den Salat gießen und unterheben, bis alle Zutaten davon überzogen sind.

Mit Salz und Pfeffer würzen und mit Spinat- und Minzeblättern garniert servieren.

GEPFEFFERTES RINDFLEISCH MIT KNUSPRIGEN NUDELN

Wenn ich das Rindfleisch für dieses Gericht brate, lege ich die Pfanne immer mit Backpapier aus, denn der Zucker im Balsamico brennt leicht an und kann deine Pfanne in Sekundenschnelle ruinieren. Verwende am besten Pecorino *sardo* (aus Sardinien) oder Pecorino *toscano* (aus der Toskana), falls du sie bekommen kannst.

150 g Soba-Nudeln (japanische Buchweizennudeln)
1 EL Balsamico
2 EL natives Olivenöl extra, zzgl. etwas zum Beträufeln
400 g Bio-Rinderfilet, von der Silberhaut befreit (vom Metzger vorbereiten lassen)
80 g Pinienkerne 750 ml Reiskeimöl
2 große Handvoll Rucola 100 g Pecorino, gehobelt
Meersalz und frisch gemahlener schwarzer Pfeffer
Zitronenspalten zum Servieren
Für 4 Personen

Die Nudeln in siedendem Wasser 3 Min. garen, dann gut abtropfen lassen. Auf einige Lagen Küchenpapier gleiten lassen und gründlich trocken tupfen.

Zwischen den Fingern 3 oder 4 Prisen Salz zerreiben und auf einen Teller streuen. 3 TL Pfeffer grob darübermahlen und mit dem Salz vermischen.
Den Balsamico und 1 EL Olivenöl in einer Schüssel verrühren. Das Rinderfilet darin wenden, dann 1 Min. marinieren. Das Filet herausnehmen und abtropfen lassen, anschließend im Salz-Pfeffer-Mix wälzen.

Eine Pfanne mit Backpapier auslegen, das Backpapier dabei so zurechtschneiden, dass es am Rand nicht übersteht. Die Pfanne bei mittlerer bis hoher Temperatur erhitzen Das restliche Olivenöl und das Rinderfilet hineingeben und das Filet von beiden Seiten je 6–7 Min. braten, bis es »englisch« (innen noch roh) ist. Aus der Pfanne nehmen und zum Ruhen beiseitestellen, bevor es in feine Scheiben geschnitten wird.

Die Pinienkerne in einer Pfanne bei niedriger bis mittlerer Temperatur 6–7 Min. goldbraun rösten, dann beiseitestellen.

Das Reiskeimöl in einer großen Kasserolle mit schwerem Boden auf 180 °C erhitzen. Jeweils eine Handvoll Nudeln nacheinander zubereiten. Dazu eine Ladung Nudeln behutsam in den Topf geben (Vorsicht: Das Öl kann zischen und spritzen!) und 1 Min. frittieren. Die Nudeln mit einer Küchenzange bewegen und nochmals 1–2 Min. frittieren, bis sie knusprig und gerade eben goldbraun sind. Mit einem Schaumlöffel herausheben und auf Küchenpapier abtropfen lassen. Die Nudeln nach vollständigem Abkühlen in kleine Stücke brechen.

Zum Anrichten das Fleisch, die knusprigen Nudeln, die Pinienkerne, den Rucola und den Pecorino auf einem großen Brett oder einer Servierplatte verteilen. Reichlich mit Pfeffer würzen, dann obenauf noch einen Schuss Olivenöl träufeln und mit Zitronenspalten servieren.

EMMERSALAT MIT FETA, ZITRONE UND PINIENKERNEN

Emmer ist ein italienisches Getreide, das arm an Gluten ist. Ich verwende es oft im Salat, da es eine wunderbar nussige Konsistenz hat und vielseitig einsetzbar ist. Ich nehme gern den Emmer der Marke „Chef's Choice", sprich entspelzten Vollkornemmer. Falls du dich für die geschrotete oder halbgeschälte Variante entscheidest, musst du die Garzeit entsprechend anpassen. Emmer gibt es in Bioläden und Reformhäusern, in einigen gut sortierten Supermärkten sowie in den italienischen Supermärkten der Großstädte. Als Ersatz eignen sich ganze Weizenkörner.

250 g Vollkornemmer
250 g Kirschtomaten, geviertelt
1 lange grüne Chili, sehr fein gehackt
80 g Pinienkerne, geröstet
½ kleine rote Zwiebel, sehr fein gehackt
2 Knoblauchzehen, sehr fein gehackt
1 große Handvoll glatte Petersilienblätter, fein gehackt
1 große Handvoll Basilikumblätter, fein gehackt
1 große Handvoll Minzeblätter, fein gehackt
1 große Handvoll Rucola, fein gehackt
200 g Feta
fein abgeriebene Schale und Saft von 1 unbehandelten Zitrone
2 EL natives Olivenöl extra
Meersalz und frisch gemahlener schwarzer Pfeffer

Für 4 Personen als Beilage

Den Emmer in eine Kasserolle mit 500 ml Wasser geben. Den Deckel auflegen und das Wasser zum Kochen bringen, dann die Temperatur reduzieren und etwa 30 Min. köcheln lassen, bis der Emmer gar ist. Abtropfen lassen und unter fließendem, kaltem Wasser gut abspülen, dann erneut gründlich abtropfen lassen.

Den Emmer in einer großen Schüssel mit Tomaten, Chili, Pinienkernen, Zwiebel, Knoblauch, allen Kräutern und Rucola vermengen, bis alle Zutaten gleichmäßig verteilt sind. Dann die Hälfte des Fetas zerbröseln und darüberstreuen. Die Zitronenschale, den Zitronensaft und das Olivenöl zugeben, unterheben und mit Salz und Pfeffer abschmecken. Nochmals vermengen und abschmecken.

Zum Servieren den restlichen Feta über den Salat bröseln.

KATIES NUDELSALAT

Einen gehaltvollen Nudelsalat zum Barbecue mag jeder! Hier kommt meine Version: vollgepackt mit bunten und leckeren Zutaten.

200 g in dünne Scheiben geschnittener, gerollter Pancetta (luftgetrockneter Bauchspeck)
500 g kleine Muschelnudeln
2 Zuckermaiskolben, Hüllblätter und Maisbart entfernt
1 rote Zwiebel, fein gewürfelt
1 rote, 1 gelbe und 1 orange Paprikaschote, geputzt und fein gewürfelt
1 große Salatgurke, in 5 mm dicke Würfel geschnitten
250 g Kirschtomaten, geviertelt
100 g grüne Oliven, ohne Stein, in dünne Ringe geschnitten
100 g eingelegte Kapern, gut abgespült
80 g Pinienkerne, geröstet
40 g schwarze Chiasamen
16 große Basilikumblätter, grob gehackt
Schnittlauchröllchen zum Garnieren

DRESSING

3 EL natives Olivenöl extra
2 EL Apfelessig
½ TL süßer Senf
Meersalz und frisch gemahlener schwarzer Pfeffer

Für 6–8 Personen als Beilage

Den Backofengrill vorheizen und zwei Backbleche mit Backpapier auslegen.

Die Pancetta auf den Backblechen ausbreiten und unter dem vorgeheizten Grill grillen, bis die Scheiben dunkel und knusprig sind. Aus dem Ofen nehmen und leicht abkühlen lassen, dann in mundgerechte Stücke brechen.

Die Nudeln nach Packungsaufschrift bissfest garen, dann abtropfen lassen und unter fließendem kaltem Wasser abschrecken.

In der Zwischenzeit den Mais in kochendem Wasser 5 Min. garen, dann mit der Küchenzange herausheben und überschüssiges Wasser abschütteln. Anschließend die Kolben unter den Backofengrill legen unter mehrmaligem Wenden grillen, bis die Maiskörner leicht schwarz sind. Etwas abkühlen lassen, dann die Kolben senkrecht auf ein Brett stellen und mit einem scharfen Messer behutsam alle Maiskörner abschneiden und in eine große Servierschüssel geben.

Alle weiteren Salatzutaten – bis auf den Schnittlauch – zum Mais geben und vermischen.

Für das Dressing das Öl, den Essig und den Senf verquirlen, dann mit Salz und Pfeffer abschmecken und über den Salat träufeln. Gründlich unterheben, die Schnittlauchröllchen darüberstreuen und servieren.

COUSCOUS-SALAT MIT WÜRZIGEN KICHERERBSEN UND GRANATAPFEL

Dieser orientalisch anmutende Salat passt perfekt zu jeder Art von gegrilltem Fleisch, insbesondere zu Lamm. Die knackigen Granatapfelkerne verleihen dem Salat eine herrlich fruchtige Note. Außerdem sehen sie sehr hübsch aus und glänzen wie kleine Edelsteine.

200 g Couscous
100 g Mandelblättchen
1 EL Olivenöl
1 Dose (400 g) Kichererbsen, abgespült und abgetropft
1 TL gemahlener Kreuzkümmel
fein abgeriebene Schale und Saft von 1 unbehandelten Zitrone
Kerne von 2 Granatäpfeln
1 große Handvoll Minzeblätter, zerzupft
natives Olivenöl extra zum Beträufeln
Meersalz und frisch gemahlener schwarzer Pfeffer

Für 4 Personen als Beilage

Den Couscous nach Packungsaufschrift garen. Mit einer Gabel auflockern, dann mit Salz und Pfeffer würzen und in einer großen Schüssel beiseitestellen.

Die Mandelblättchen in einer Pfanne bei mittlerer Temperatur etwa 5 Min. trocken rösten, bis sie goldbraun sind, dann zum Abkühlen beiseitestellen.

In derselben Pfanne bei mittlerer Temperatur das Öl erhitzen. Die Kichererbsen mit Kreuzkümmel, Salz und Pfeffer darin 8–10 Min. unter häufigem Schwenken braten, bis die Kichererbsen knusprig und goldgelb sind. Den Zitronensaft zugießen und weitere 1–2 Min. garen, dann den Pfanneninhalt zusammen mit den abgekühlten, gerösteten Mandeln in die Schüssel mit dem Couscous füllen.

Granatapfel, Minze, Zitronenschale und ein paar Tropfen natives Olivenöl extra zugeben und alles behutsam vermischen, bis die Zutaten gleichmäßig verteilt sind. Vor dem Servieren noch einmal mit Salz und Pfeffer abschmecken.

SALAT MIT MAIS, SCHWARZEM REIS UND CHIASAMEN

Schwarzer Reis, den man in Bioläden, Reformhäusern und Feinkostabteilungen bekommt, ist eine prima Alternative zu Naturreis. Wer ihn nicht findet, kann eine Reissorte seiner Wahl verwenden. Dieser knackig-frische Salat passt besonders gut zu mexikanischem Essen und zu gegrilltem Fisch oder Grillhähnchen.

200 g schwarzer Reis
2 Zuckermaiskolben, Hüllblätter und Maisbart entfernt
250 g Kirschtomaten, halbiert
4 Frühlingszwiebeln, geputzt und in feine Ringe geschnitten
1 große Handvoll glatte Petersilienblätter
1 große Handvoll Minzeblätter
1½ EL Chiasamen, zzgl. etwas zum Garnieren
fein abgeriebene Schale und Saft von 1 großen unbehandelten Limette
1 EL natives Olivenöl extra
Meersalz und frisch gemahlener schwarzer Pfeffer

Für 4–6 Personen als Beilage

Den Backofengrill vorheizen. Den Reis nach Packungsaufschrift garen, dann unter kaltem Wasser abspülen und abtropfen lassen. Beiseitestellen und vollständig abkühlen lassen.

In der Zwischenzeit den Mais in kochendem Wasser 5 Min. garen, mit der Küchenzange herausheben und überschüssiges Wasser abschütteln. Anschließend die Kolben unter den Backofengrill legen und unter mehrmaligem Wenden grillen, bis die Maiskörner leicht schwarz sind. Etwas abkühlen lassen, dann die Kolben senkrecht auf ein Brett stellen und mit einem scharfen Messer behutsam alle Maiskörner abschneiden und in eine große Servierschüssel geben. Zum vollständigen Abkühlen beiseitestellen, dann die Tomaten, Frühlingszwiebeln, Kräuter und Chiasamen hinzufügen.

Die Limettenschale, den Limettensaft und das native Olivenöl extra in einer kleinen Schüssel verquirlen und mit Salz und Pfeffer abschmecken. Über den Salat träufeln und behutsam vermischen, bis die Zutaten damit überzogen sind.

Mit zusätzlichen Chiasamen garniert servieren.

WÜRZIGE KÜRBIS-APFEL-SUPPE MIT SPECK

№. 68

Dies ist eine meiner absoluten Lieblingssuppen — sie eignet sich hervorragend als Vorspeise bei einer Dinnerparty, und ich bekomme immer viele Komplimente, wenn ich sie auftische. Vorher wäre ich nie auf die Idee gekommen, Äpfel in die Suppe zu tun, aber in Kombination mit dem Kürbis passt das wirklich sehr gut. Die Äpfel geben dem Ganzen eine fruchtig-süße Note, die in angenehmem Kontrast zum herzhaften Speck und den Gewürzen steht.

50 g Kürbiskerne
1 TL Kreuzkümmelsamen
1 TL Koriandersamen
1 TL gerebelter Salbei
1 kg Butternusskürbis, geschält, Samen entfernt und in 3 cm große Stücke geschnitten
70 ml Olivenöl
2 grüne Äpfel, geschält, Kerngehäuse entfernt und in 3 cm große Stücke geschnitten
500 g durchwachsener Bio-Frühstücksspeck (Bacon), Fettrand und Schwarte entfernt, klein gewürfelt
1 Zwiebel, gehackt
3 Knoblauchzehen, fein gehackt
1 l Hühnerfond
120 g Ziegenkäse in Salzlake, zerkrümelt
Meersalz und frisch gemahlener schwarzer Pfeffer

Für 4 Personen

Den Backofen auf 180 °C Umluft vorheizen und zwei Backbleche mit Backpapier auslegen. Die Kürbiskerne auf einem der Backbleche ausbreiten und etwa 5 Min. rösten, bis sie leicht goldbraun sind.

In einer kleinen, beschichteten Pfanne die Kreuzkümmel- und die Koriandersamen bei niedriger Temperatur 2–3 Min. trocken rösten, bis sie zu duften beginnen. In einen Mörser geben, den Salbei hinzufügen und mit dem Stößel zu einem feinen Pulver zermahlen.

Den Kürbis, die gemahlenen Gewürze und 2 EL Öl in eine große Schüssel geben, salzen, pfeffern und die Zutaten vermischen, bis die Kürbisstücke überzogen sind. Auf das zweite Backblech gleiten lassen, einlagig verteilen und 30 Min. im Ofen backen. Die Apfelstücke hinzufügen und noch 20 Min. weitergaren, bis Kürbis und Äpfel weich sind.

In der Zwischenzeit weitere 2 TL Öl in einer großen Pfanne bei mittlerer Temperatur erhitzen. Den Speck darin unter häufigem Rühren etwa 5 Min. anbraten. Zum Abtropfen auf Küchenpapier beiseitestellen.

Das restliche Öl in der Pfanne erhitzen. Die Zwiebel, den Knoblauch und 1 Prise Salz hineingeben, dann unter Rühren 3–4 Min. braten, bis die Zwiebel weich ist. Zusammen mit dem Kürbis-Apfel-Mix, 500 ml Fond, 60 g Ziegenkäse und der Hälfte des Specks in einem Mixer fein pürieren. Die pürierte Kürbismasse in eine große Kasserolle füllen, den restlichen Fond zugießen und bei mittlerer Temperatur 8–10 Min. kochen, bis das Ganze leicht eingedickt ist, dann abschmecken.

Zum Servieren die Suppe auf Suppenschalen verteilen und obenauf den restlichen Speck und den verbliebenen Ziegenkäse streuen. Zum Abschluss mit den gerösteten Kürbiskernen garnieren und mit etwas Pfeffer übermahlen.

KAROTTEN-INGWER-SUPPE NACH NEW YORKER ART

Als ich 2013 zur Verleihung der James Beard Awards in New York war, hatte ich im berühmten »Eleven Madison Park« einen Tisch zum Abendessen reserviert. Da mich dort ein Sechzehn-Gänge-Menü (!) erwartete, entschied ich mich an jenem Tag, besser wenig bzw. gar nichts zu essen, quasi als Vorbereitung auf das Festessen, das mir bevorstand. Doch gegen vier Uhr nachmittags, nach fünf Stunden Shopping in der New Yorker City, hatte ich einen Mordshunger. Ich ging in eine Snackbar in Greenwich Village und kam mit der Inhaberin ins Gespräch. Sie empfahl mir ihre Karotten-Ingwer-Suppe. Das Geschmackserlebnis war unglaublich, und hier kommt nun meine Version dieser Suppe.

6 große Karotten, grob gehackt
½ TL Fenchelsamen 3 EL Olivenöl 1 Zwiebel, gehackt
3 Knoblauchzehen, in dünne Scheiben geschnitten
2 Selleriestangen, gehackt
1 EL frisch geriebener Ingwer
Blättchen von 3 Thymianzweigen, zzgl. einige zum Garnieren
1½ l Gemüsefond
Meersalz und frisch gemahlener schwarzer Pfeffer

Sauerrahm und Walnussbrot (siehe Seite 209) zum Servieren

Für 6 Personen

Den Backofen auf 180 °C Umluft vorheizen und zwei Backbleche mit Backpapier auslegen.

Die Karotten, Fenchelsamen und 2 EL Öl in einer Schüssel mit Salz und Pfeffer würzen und gründlich vermischen. Gleichmäßig auf die vorbereiteten Bleche verteilen und 30–40 Min. backen, bis die Karotten weich sind und zu karamellisieren beginnen, dann aus dem Ofen nehmen und beiseitestellen.

Das restliche Öl in einer großen Kasserolle bei mittlerer Temperatur erhitzen. Die Zwiebel und den Knoblauch darin unter Rühren 3–4 Min. anbraten, bis die Zwiebelstückchen weich sind. Den Sellerie zugeben und 3–4 Min. garen, bis er ebenfalls weich ist. Ingwer, Thymian, Fond und die gebackenen Karotten hinzufügen, zum Kochen bringen, dann auf niedrige Temperatur stellen und unter gelegentlichem Rühren 25–30 Min. leise köcheln lassen, bis die Suppe eingedickt ist. Vom Herd nehmen und mit einem Pürierstab fein pürieren.

Auf Suppenschalen verteilen und mit Sauerrahm, Thymian und etwas frisch gemahlenem Pfeffer garnieren. Mit Walnussbrot servieren.

SCALE IN FEET 0 1000 2000 3000

NEW YORK
HOUSE NUMBER AND TRANSIT GUIDE
MAP No. 2000
HAGSTROM COMPANY
EXPLANATION
Subway Lines (IRT West Side)
Subway Lines (IRT East Side)
Subway Lines (BMT)
Subway, 42nd St. Shuttle
Subway Lines (IND)
Subway Express Stations
Subway Local Stations
Elevated Lines
Elevated Express Stations
Elevated Local Stations
Hudson Tubes
Playgrounds
2, 350 ETC House Numbers
Surface Lines
Bus Lines
Main Auto Routes

Water

FISCHSUPPE MIT VENUSMUSCHELN

Dieses Rezept führt zurück auf eine Fischsuppe, die ich vor ein paar Jahren auf einer Reise in Provincetown, Massachusetts, gekostet habe. Ich verwende gern Lengfisch dafür, aber jeder andere Meeresfisch mit festem weißem Fleisch eignet sich ebenfalls gut.

1 kg Venusmuscheln
1 EL Olivenöl
250 g durchwachsener Bio-Frühstücksspeck (Bacon), Fettrand und Schwarte entfernt, in feine Streifen geschnitten
1 Zwiebel, gehackt
2 Knoblauchzehen, fein gehackt
2 EL Mehl
1 l Fischfond
5 Thymianzweige, mit Küchengarn zusammengebunden
1 Lorbeerblatt
500 g festkochende Kartoffeln, in 2–3 cm große Stücke geschnitten
250 ml Milch
250 g Sahne
500 g festes weißes Fischfilet, in 3 cm große Stücke geschnitten
Meersalz und frisch gemahlener schwarzer Pfeffer

fein gehackte glatte Petersilie und knuspriges Brot zum Servieren

Für 4–6 Personen

Die Venusmuscheln 30 Min. in kaltes Wasser legen, um jeglichen Sand zu entfernen, dann abtropfen lassen, abspülen, noch einmal abtropfen lassen und beiseitestellen.

Das Öl in einer großen Kasserolle bei mittlerer bis hoher Temperatur erhitzen. Den Speck darin unter häufigem Rühren 3–4 Min. braten, dann die Zwiebel und den Knoblauch hinzufügen und 2–3 Min. garen, bis beides weich ist. Das Mehl zugeben und gründlich umrühren.

Den Fischfond, Thymian, Lorbeer und die Kartoffeln untermischen und mit Salz und Pfeffer würzen. Zum Kochen bringen, dann auf niedrige bis mittlere Temperatur stellen und etwa 20 Min. köcheln lassen, bis die Kartoffeln gerade eben gar sind.

Die Milch und die Sahne unterrühren. Die Temperatur erhöhen, die Venusmuscheln und den Fisch hinzufügen und unter Rühren 3–4 Min. kochen, bis die Schalen der Venusmuscheln offen sind und der Fisch gerade eben gar ist.

Mit frisch gemahlenem schwarzen Pfeffer und Petersilie bestreut sofort servieren und knuspriges Brot als Beilage reichen.

LINSEN-KICHERERBSEN-SUPPE MIT SCHMORTOMATEN

Diese arabische Suppe wärmt Bauch und Gemüt an kalten Wintertagen und ist darüber hinaus auch für Vegetarier geeignet. Wer es gern noch schärfer mag, kann mehr Harissa hineingeben. Mit reichlich knusprigem Brot servieren.

1½ kg Romatomaten, längs halbiert
2 rote Paprika, Stielansatz entfernt, geputzt und in je 8 Spalten geschnitten
60 ml natives Olivenöl extra
1 große rote Zwiebel, fein gehackt
4 große Knoblauchzehen, fein gehackt
2 Selleriestangen, in feine Scheiben geschnitten
2 lange rote Chilis, Samen entfernt und fein gehackt
1½ TL Harissa (scharfe Gewürzpaste)
2 Dosen (à 400 g) stückige Tomaten
1 TL Pimento (geräuchertes Paprikapulver)
½ TL gemahlener Kreuzkümmel
500 ml Gemüsefond
2 Dosen (à 400 g) Linsen, abgespült und abgetropft
2 Dosen (à 400 g) Kichererbsen, abgespült und abgetropft
Meersalz und frisch gemahlener schwarzer Pfeffer

Naturjoghurt (10 % Fett) und Thymian zum Servieren

Für 6–8 Personen

Den Backofen auf 160 °C Umluft vorheizen und ein Backblech mit Backpapier auslegen.

Die Tomatenhälften und die Paprikaspalten mit dem Anschnitt nach oben auf das vorbereitete Backblech legen, salzen und mit 2 EL Öl beträufeln. Etwa 1 Std. im Backofen schmoren, bis die Tomaten an den Rändern braun zu werden beginnen und die Paprikaschoten weich sind. Die Paprikaspalten abkühlen lassen, bis man sie anfassen kann, dann die Haut abziehen.

In einer großen Kasserolle mit schwerem Boden das restliche Öl bei mittlerer Temperatur erhitzen. Die Zwiebelstückchen darin 3–4 Min. braten, bis sie weich sind, dann den Knoblauch zugeben und unter Rühren 3–4 Min. garen, bis er zu duften beginnt. Den Sellerie und die gehackten Chilis hinzufügen und unter häufigem Rühren 4–5 Min. braten. Die Harissapaste unterrühren, dann die stückigen Tomaten, Pimento und Kreuzkümmel zugeben und 5–6 Min. garen.

Die Kasserolle vom Herd nehmen, die Schmortomaten und Paprika hinzufügen und mit einem Pürierstab alles fein pürieren. Die Kasserolle bei mittlerer Temperatur wieder auf den Herd stellen, den Fond zugießen, mit Salz und Pfeffer abschmecken und 10 Min. köcheln lassen.

Die Linsen und die Kichererbsen hinzufügen und 1 Min. sanft erhitzen, dann final abschmecken. Zum Anrichten mit etwas Pfeffer übermahlen, einen Klecks Joghurt durch die Suppe ziehen und mit Thymianblättchen bestreuen. Heiß servieren.

Dublin

schöne City

JOHN JAMESON & SON
ESTABLISHED 1780
JJ&S
PURE POT STILL
DUBLIN WHISKEY.
SPECIAL
MEATBALLS
HOMEMADE
IRISH STEW
RELAX WITH A GLASS OF WINE
RESTAURANT
OPEN

"All Sorrows are less with bread."
Don Quixote
THE COAST OF CALIFORNIA
TOM KILLION
DESIGN*SPONGE at HOME
RODDY DOYLE
THE BARRYTOWN TRILOGY
THE STORY OF WINE
PICASSO
1001 FOODS YOU MUST TRY BEFORE YOU DIE
ROMAN POLANSKI
Crime Comics
Spain
Costa Rica
CENTURY
GARDNER'S ART THROUGH THE AGES
DALI
THE POWER OF THE POSTER
USA
FEDERICO FELLINI
River Cottage everyday
Vegetarian
Eat Your Veg
Essential KLIMT
White
Wines by the glass

HURSDAY [17-348]
18 FRIDAY [18-347]
SATURDAY [19-346]
20 SUNDAY

COFFEE
ESPRESSO 200/220
MACHIATO 220/240
LONG BLACK 240
FLAT WHITE 230
CAPPUCCINO 270
HOT CHOCOLATE 300
TEAS 200

Letztes Jahr habe ich einen Abstecher in meine Heimatstadt Dublin gemacht. Es war schon eine Weile her, seit ich das letzte Mal in meiner alten Umgebung gewesen war, und ich konnte es kaum abwarten, alle meine Freunde und meine Schwester und ihre Familie wiederzusehen. Ich landete an meinem Geburtstag in Dublin und war mit mehreren Freunden in einer kleinen angesagten Bar namens »Vintage Cocktail Club«, die etwas versteckt im Stadtteil Temple Bar liegt, zum Cocktailtrinken verabredet. Danach ging es weiter in einen meiner Dauerfavoriten in Dublin, ins »McDaids« ganz in der Nähe der Grafton Street. Das »McDaids« ist ein typischer Dubliner Pub, in den es sehr viele Einheimische und nur wenig Touristen zieht. Das Wetter war traumhaft – Temperaturen um die 30 °C und wunderbar sonnig, was selten in Dublin vorkommt – und in den Straßen wimmelte es nur so von Menschen, die alle draußen ihr Guinness genießen wollten.

Während meines Aufenthaltes habe ich mich in die boomende Gastroszene Dublins gestürzt. Wow, was hat sich da getan! Überall in der Stadt machen originelle, coole neue Restaurants auf, und sie sind die ganze Woche über voll. In diesen fantastischen neuen Locations habe ich ein Foto nach dem anderen geschossen. Nach der Wirtschaftskrise der vergangenen Jahren war es schön zu sehen, dass es in Irland wieder aufwärts geht.

Es gibt eine tolle neue Restaurantkette des irischen Gastronoms John Farrell: Sein im Stil eines amerikanischen Diners konzipiertes »Dillinger's«, das »Butcher Grill Steakhouse« und sein fantastisches mexikanisches

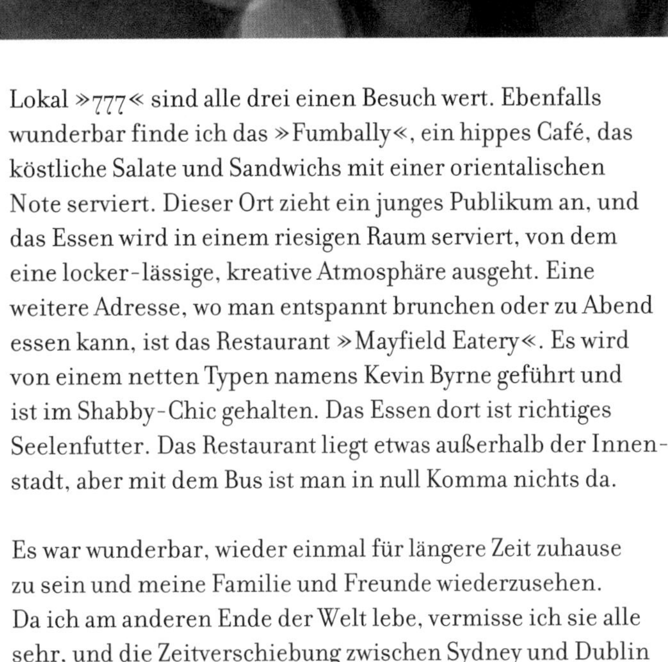

Lokal »777« sind alle drei einen Besuch wert. Ebenfalls wunderbar finde ich das »Fumbally«, ein hippes Café, das köstliche Salate und Sandwichs mit einer orientalischen Note serviert. Dieser Ort zieht ein junges Publikum an, und das Essen wird in einem riesigen Raum serviert, von dem eine locker-lässige, kreative Atmosphäre ausgeht. Eine weitere Adresse, wo man entspannt brunchen oder zu Abend essen kann, ist das Restaurant »Mayfield Eatery«. Es wird von einem netten Typen namens Kevin Byrne geführt und ist im Shabby-Chic gehalten. Das Essen dort ist richtiges Seelenfutter. Das Restaurant liegt etwas außerhalb der Innenstadt, aber mit dem Bus ist man in null Komma nichts da.

Es war wunderbar, wieder einmal für längere Zeit zuhause zu sein und meine Familie und Freunde wiederzusehen. Da ich am anderen Ende der Welt lebe, vermisse ich sie alle sehr, und die Zeitverschiebung zwischen Sydney und Dublin lädt auch nicht gerade dazu ein, dass man oft zum Telefon greift. Daher wollte ich so viel Zeit wie möglich mit ihnen verbringen und habe zahlreiche Treffen im Haus meines guten Freundes Colm arrangiert (erinnert ihr euch noch an seine Suppe in meinem ersten Buch?). Dort sind einige Rezepte für dieses Buch entstanden und ich hatte eine tolle Zeit mit meiner Schwester und meinen Schulfreundinnen (darunter Emily, Julie, Rebecca und Sarah), von ihren fabelhaften Kindern mal ganz abgesehen.

Als ich 2006 aus Irland weggegangen bin, war Erika, meine einzige Nichte, drei Jahre alt. Jetzt ist sie elf, und ich habe einen Großteil ihrer Entwicklung verpasst. Deshalb genieße ich es sehr, wenn ich so viel Zeit wie möglich mit ihr verbringen kann. Da das Wetter während meines Aufenthaltes in Dublin so wunderbar war, konnten oft im Garten meiner Schwester grillen. Mein Schwager Claudio ist ein echtes Original. Als Brasilianer beherrscht er die Kunst des Grillens perfekt – er ist mit Sicherheit einer der besten Würstchengriller auf diesem Planeten. Das ist übrigens das einzige regionale Essen, das ich arg vermisse: »Irish Pork Sausages« sind schlicht und ergreifend die besten Würstchen auf der ganzen Welt!

Orte, an denen ich gewesen bin, und interessante Internetseiten

vintagecocktailclub.com
mcdaidsirishpub.com
dillingers.ie
thebutchergrill.ie
777.ie
thefumbally.ie
mayfieldeatery.ie

MENU

Chorizo-Tomaten-Tarte seite 112

Grillhähnchen mit Limette und Kräutern seite 100

Nudelsalat mit Garnelen und Gurke seite 56

Apfel-Brombeer-Schnitte seite 274

PLEASE
OFF THE GRASS
PLEASE
NOT WALK ON
HE GRAVES
Ᵹaeḋeal Comluċt Ċaiġḋe um
Ursaḋaiṙ Náisiúnta, Teo.
E IRISH NATIONAL ASSURANCE CO., LTD.
d Office—30 COLLEGE GREEN, DUBLIN
e Clergy and all Irish-Irelanders, by insuring their Lives
d Property with the Irish National, will be helping to
engthen the Industrial Arm of the Irish Nation.
This is the only IRISH LIFE AND GENERAL
ASSURANCE COMPANY, and is DIRECTED
AND STAFFED BY IRISH-IRELANDERS.
5,000,000 are drained out of Ireland yearly in Assurance
emiums by Foreign Companies. We are fighting to keep
s great sum at home for the use of the Irish People.
YOU CAN HELP US
e have £20,000 invested in Irish Trustee Stocks as Security
our Policyholders. Our total assets after only two year's
rk amount to nearly £50,000. Our Present Income
£1,000 per week, and increasing by leaps and bounds.
We guarantee that all our Funds will be
invested in Irish Enterprises.
An Irish National Agency is a paying position, and we have openings for some good workers
BUSINESS TRANSACTED:
e, Fire, Live Stock, Endowment, Burglary, Motor
, Plate Glass, Sickness, Accident, etc.
DIRECTORS:
RENCE CASEY, Managing Director
CULLETON
RAIC Ó MAILLE, T.D.
MANGAN
JOHN CUMMINS, D.C.
P. St. L. O'DEA
JAMES A. BURKE, T.D.
EAMONN O'DUIBHIR
OYAL EXCHANGE
ASSURANCE
LILY'S
15/6/13
NATALIA
WAS
HERE
15/6/13
JOHN KEHOE 9
9 JOHN K
LOUNGE
Céad Míle Fáilte
LITTLE RICHARD
THE BEATLES
OCT. 12 · 1962
BEATLES
1'3
1'6

You know it by th
INSURANCE CO
LIMITED
HIGH VOLTAGE
DANGER
WITHIN
KEEP OUT
& SONS
Est 1821

GEFLÜ

FLEISC

UND FI

GEL,

SCH

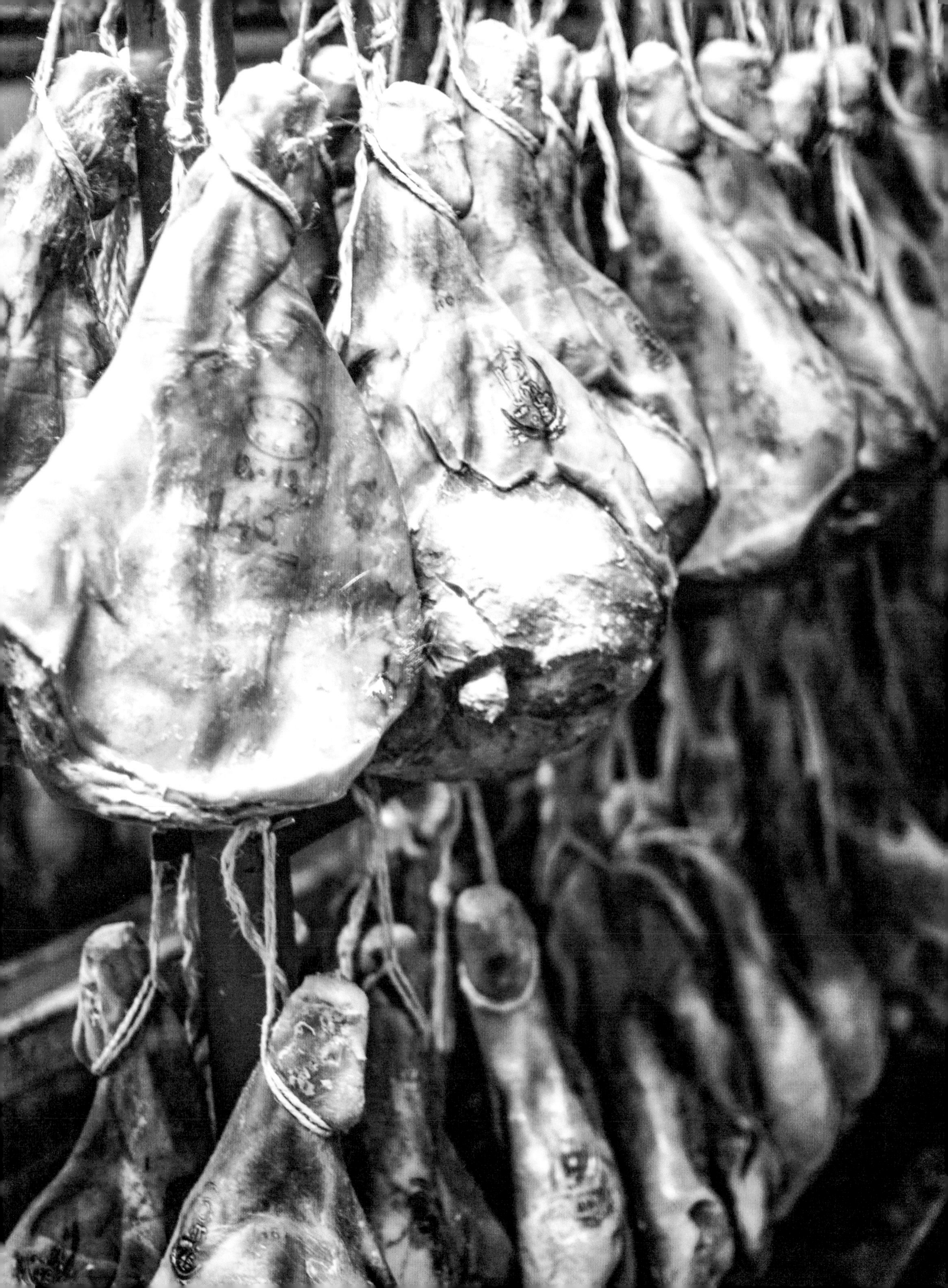

HÄHNCHEN À LA BUFFALO MIT BLAUSCHIMMELKÄSE-MAYO

Auf meiner ersten New-York-Reise im Jahr 1997 besuchte ich eine Bar namens »Down the Hatch« in Greenwich Village, die damals wie heute bekannt für ihre „Atomic Wings" ist: frittierte Hähnchenschenkel in einer pikanten Sauce, die ursprünglich aus der Stadt Buffalo stammen soll. Ich habe diese Hähnchenschenkel eimerweise verdrückt und bin seitdem süchtig nach ihnen – und zwar so sehr, dass ich seit Jahren in meiner Küche experimentiere, um meine eigene Version dieser Sauce zu perfektionieren. Jetzt kann ich sie euch endlich vorstellen! Noch ein paar Tipps: Hot Sauce (Chilisauce) wird in ausgewählten Feinkostgeschäften angeboten (ich verwende Crystal Hot Sauce). Bitte nicht durch Tabascosauce ersetzen, die wäre in diesem Fall zu scharf. Und die Butter erst ganz am Ende hinzufügen, wenn der Topf nicht mehr auf dem Herd steht, sonst gerinnt die Sauce.

12 Hähnchenschenkel vom Bio-Hähnchen
1 EL Mehl 1 TL Cayennepfeffer
1 TL edelsüßes Paprikapulver
1 TL Zwiebelsalz
mildes Olivenölspray

BLAUSCHIMMELKÄSE-MAYONNAISE

3 Bio-Eigelb 1 EL Essig
2 EL Zitronensaft
250 ml Sonnenblumen- oder Rapsöl
1 gehäufter TL Dijonsenf
2 EL Sauerrahm
150 g Blauschimmelkäse
Meersalz

SAUCE NACH BUFFALO-ART

250 g farbloser Essig, z.B. weißer Balsamico oder Weißweinessig
2 EL Honig 2½ EL Hot Sauce (Chilisauce)
1 TL edelsüßes Paprikapulver
1 TL Knoblauchpulver ½ TL Maisstärke
1 EL Zitronensaft 1 TL Butter

Stangensellerie zum Servieren

Für 4–6 Personen

Bitte umblättern … →

BEE
NUT
Thank You!
MON TO SAT
5 TO 1145
SUN
5 TO 11
WEEKENDS
11 TO 230
ARRY OUT
VAILABLE

Weiter geht's ... →

Den Backofen auf 180 °C Umluft vorheizen und zwei Backbleche mit Backpapier auslegen. Die Hähnchenschenkel mit Küchenpapier trocken tupfen und rundum mit wenig Olivenöl einsprühen.

Das Mehl mit Cayennepfeffer, Paprikapulver und Zwiebelsalz in einen größeren Beutel mit Zipperverschluss geben, diesen verschließen und schütteln. Die Hähnchenschenkel hineinlegen, den Beutel erneut verschließen und gut schütteln, damit die Schenkel gleichmäßig mit der Gewürzmischung überzogen sind.

Die Hähnchenteile auf den vorbereiteten Blechen verteilen und 30 Min. backen. Die Bleche aus dem Ofen nehmen und die Hähnchenteile mithilfe einer Küchenzange wenden (überschüssige Feuchtigkeit mit Küchenpapier abwischen), dann die Bleche zurück in den Ofen schieben und weitere 30 Min. backen, bis die Schenkel knusprig und goldbraun sowie vollständig durchgegart sind.

Inzwischen die Mayonnaise zubereiten. Dazu das Eigelb mit Essig, Zitronensaft und 1 Prise Salz in den Mixbehälter der Küchenmaschine geben. Bei hoher Geschwindigkeit aufschlagen, dabei das Öl in stetigem dünnem Strahl zugießen, bis eine dicke, glänzende Mayonnaise entstanden ist. Den Senf, den Sauerrahm und den Blauschimmelkäse hinzufügen und alles zu einer glatten Masse pürieren. In eine kleine Servierschüssel füllen und bis zur Verwendung kalt stellen.

Für die Sauce nach Buffalo-Art den Essig mit Honig, Hot Sauce, Paprikapulver, Knoblauchpulver und 125 ml Wasser in einer Kasserolle zum Kochen bringen, dann auf mittlere Temperatur reduzieren und 10–15 Min. sanft köcheln. Die Maisstärke mit 1 EL Wasser in einer Tasse glattrühren. Zur Sauce gießen und unter ständigem Rühren 5 Min. simmern lassen. Den Zitronensaft hinzufügen und bei niedriger Temperatur 1–2 Min. erhitzen. Die Kasserolle vom Herd nehmen und die Butter unterrühren, bis sie geschmolzen und eine glatte und glänzende Sauce entstanden ist. Nicht nochmals erhitzen, sonst gerinnt die Sauce.

Die Hähnchenschenkel in ein ausgelegtes Servierkörbchen legen und mit der Sauce beträufeln. Die Teile nicht vollständig mit Sauce bedecken, damit sie noch teilweise knusprig bleiben. Mit der Blauschimmelkäse-Mayo und den Selleriestangen anrichten und sofort servieren.

KELLY
LANG

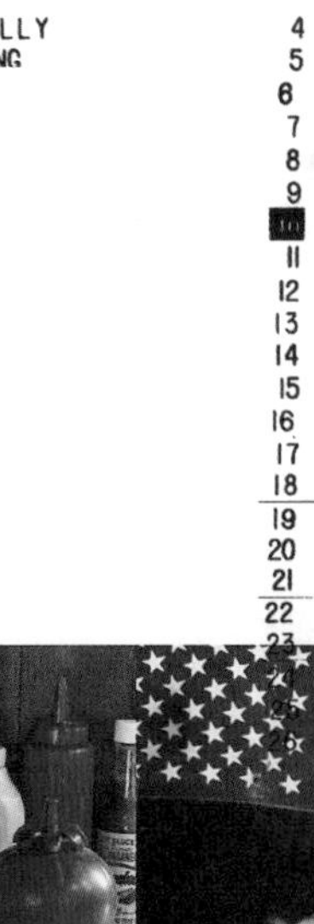

JAMES BEARD FOUNDATION AWARD FOR EXCELLENCE

L
Bedford
Station

LIBERTY
201-488-9300
212-986-212

CHILI DOG

SHOULD BE.
GO REAL
#tastereal
Van Wagner
the CORNER DELI
est. 1932
El Camino
SS
RADIAL G/T
Houston Street
Station
1 Uptown &
The Bronx
Enter with or buy MetroC
at all times or see agent
at Houston Street
LIQUORS
42 Grove St. NYC

Mit diesem Gericht am besten schon am Vortag anfangen, denn nach einer Nacht in der Marinade hat das Hähnchen ein unglaubliches Aroma. Granatapfeldicksaft ist in türkischen Lebensmittelgeschäften oder in ausgewählten Feinkostläden erhältlich. Falls du ihn bisher noch nie verwendet hast, wirst du bald nicht mehr darauf verzichten wollen. Der Sirup ist zähflüssig und süßsäuerlich und harmoniert hervorragend mit Geflügel. Gegen Ende der Garzeit über ein Hähnchen geträufelt, sorgt er für einen tollen Kontrast der Aromen. Besonders gut schmeckt dieses Gericht mit dem Quinoa-Salat auf Seite 56.

GRANATAPFEL-HÄHNCHEN

12 Keulen vom Bio-Hähnchen, gehäutet und entbeint, überschüssiges Fett entfernt

GRANATAPFELSIRUP-MARINADE

2 EL Olivenöl
80 ml Granatapfeldicksaft
Saft von 1 Zitrone
3 große Knoblauchzehen, fein gehackt
2 EL Dijonsenf
2 EL Sherry-Essig
2 Minzezweige, Blätter abgezupft und sehr fein gehackt
Meersalz und frisch gemahlener schwarzer Pfeffer

Granatapfeldicksaft (optional), Minze und Granatapfelkerne zum Servieren

Für 4–6 Personen

Für die Marinade alle Zutaten in einen Krug oder eine Schüssel füllen und verrühren, bis sie sich verbunden haben. In einen Beutel mit Zipperverschluss füllen, das Hähnchenfleisch hineingeben, den Beutel verschließen und schütteln, damit sich Fleisch und Marinade vermischen. Im Kühlschrank mindestens 6 Std. (besser über Nacht, falls möglich) marinieren.

Eine Grillpfanne oder eine Grillplatte (Plancha) bei mittlerer bis hoher Temperatur erhitzen, bis sie heiß ist. Das Hähnchenfleisch portionsweise 5–6 Min. pro Seite anbraten, bis es eine goldbraune Färbung annimmt und vollständig durchgegart ist.

Nach Belieben mit ein wenig Granatapfelsirup beträufeln, dann mit Minze und Granatapfelkernen bestreuen und heiß servieren.

KNUSPERHÄHNCHEN MIT SÜSS-SALZIGEM DIP

Eine gesunde Wahl, wenn Freunde vorbeikommen, und übrigens auch bei Kindern sehr beliebt. Tamari (japanische Sojasauce) wird in Asialäden und Feinkostgeschäften angeboten.

8 Keulen vom Bio-Hähnchen, gehäutet und entbeint, überschüssiges Fett entfernt
3 EL Tamari
3 EL heller Agavendicksaft (siehe Seite 10)
20 g gepuffte Quinoa
75 g Quinoaflocken
100 g schwarze oder helle Sesamsamen (oder eine Mischung aus beiden)
frisch gemahlener schwarzer Pfeffer

SÜSS–SALZIGER DIP

4 EL Tamari
2 EL heller Agavendicksaft
2 EL Mirin (süßer Reiswein)
1 lange rote Chili, Samen entfernt und in dünne Ringe geschnitten
3 Frühlingszwiebeln, geputzt und in dünne Ringe geschnitten
2 Knoblauchzehen, sehr fein gehackt
einige Korianderzweige, Blätter abgezupft

Für 4 Personen

Das Keulenfleisch in lange Streifen schneiden. Tamari und Agavendicksaft in einer flachen Schüssel verrühren. Die Hähnchenstreifen darin wenden, dann mit Frischhaltefolie abdecken und 1 Std. kalt stellen.

Den Backofen auf 180 °C Umluft vorheizen und zwei Backbleche mit Backpapier auslegen.

Die gepuffte Quinoa, die Quinoaflocken, die Sesamsamen und 1 kräftige Prise schwarzen Pfeffer in einer großen Schüssel vermischen. Die marinierten Hähnchenteile aus dem Kühlschrank nehmen und nacheinander aus der Marinade heben, dabei gut abtropfen lassen, dann in die Schüssel zur Quinoamischung geben und darin wenden. Auf den vorbereiteten Blechen verteilen.

Die Hähnchenstreifen 20–25 Min. backen, bis sie goldgelb, knusprig und durchgegart sind.

In der Zwischenzeit den Dip zubereiten. Dazu Tamari, Agavendicksaft, Mirin und 1 EL Wasser in einem Krug verrühren. In eine kleine Schüssel gießen, dann die Chiliringe, die Frühlingszwiebeln, den Knoblauch und die Korianderblätter unterrühren.

Die heißen Hähnchenstreifen mit dem Dip servieren.

GRILLHÄHNCHEN MIT LIMETTE UND KRÄUTERN

Für dieses Rezept brauchst du 160 ml Limettensaft. Falls frische Limetten gerade keine Saison haben und zu teuer sein sollten, kannst du auch Limettensaft aus der Flasche verwenden.

6 Bio-Limetten zzgl. einige Limettenspalten zum Servieren
2 EL Olivenöl
1 lange grüne Chili, Samen und Scheidewände entfernt, fein gehackt
1 Handvoll Minzeblätter, fein gehackt, zzgl. einiger Blättchen zum Garnieren
1 Handvoll Korianderblätter, fein gehackt, zzgl. einiger Blättchen zum Garnieren
12 Keulen vom Bio-Hähnchen, gehäutet und entbeint, überschüssiges Fett entfernt
Meersalz und frisch gemahlener schwarzer Pfeffer

grüne Chili, Samen entfernt, in dünne Ringe geschnitten, zum Garnieren

Für 6 Personen

Für die Marinade die Schale von zwei Limetten in eine große, flache Glas- oder Keramikschüssel fein abreiben. Den Saft von allen sechs Limetten auspressen – die ausgepressten Schalenhälften aufbewahren –, dann Öl, Chili und die gehackten Kräuter unterrühren und mit Salz und Pfeffer abschmecken.

Das Hähnchenfleisch in der Marinade wenden. Die ausgepressten Schalenhälften darauflegen, abdecken und mindestens 3–4 Std. im Kühlschrank marinieren. Vor dem Anbraten wieder Raumtemperatur annehmen lassen.

Eine Grillpfanne oder eine Grillplatte (Plancha) bei mittlerer bis hoher Temperatur erhitzen. Falls nötig, die Hähnchenteile portionsweise anbraten. Dazu das Fleisch mithilfe einer Küchenzange in die Grillpfanne legen, vorher überschüssige Marinade gut abtropfen lassen. Unter gelegentlichem Wenden 10–12 Min. anbraten, bis die Hähnchenteile leichte Grillspuren aufweisen und vollständig durchgegart sind.

Frisch aus der Pfanne mit Chiliringen, Minze, Koriander und Limettenspalten servieren.

TACOS MIT KNUSPRIGEM HÄHNCHEN

Diese knusprigen Hähnchenteile sind so köstlich, dass es schwierig werden könnte, sie in die Tortillas zu wickeln – das Risiko ist hoch, dass sie bereits auf dem Weg dorthin im Mund verschwinden. Falls die Zeit knapp ist, kann für den Krautsalat anstelle der selbst gezauberten Mayonnaise auch fertiges Dressing (à la Ranch-Dressing) verwendet werden. Hot Sauce (Chilisauce) wird in ausgewählten Feinkostgeschäften angeboten.

600 g ausgelöstes Keulenfleisch vom Bio-Hähnchen, gehäutet, überschüssiges Fett entfernt, in Streifen geschnitten
180 ml Buttermilch
1–2 TL Tabasco
2 Maiskolben, Hüllblätter und Maisbart entfernt
1 lange grüne Chili, Samen entfernt, fein gehackt
100 g Reismehl
75 g Mehl
8 Maistortillas
Reiskeimöl zum Frittieren
Meersalz und frisch gemahlener schwarzer Pfeffer

Für 4 Personen

CREMIGER KRAUTSALAT

1 Bio-Eigelb
2 EL Zitronensaft
100 ml Rapsöl
2 TL Dijonsenf
1 TL Weißweinessig
2 EL Sauerrahm
200 g Rotkohl, sehr fein gehobelt
200 g Weißkohl, sehr fein gehobelt
1 Karotte, geschält und fein geraspelt (man benötigt etwa 150 g geraspelte Karotte)
Meersalz

Limettensaft, Hot Sauce oder Chipotle-Sauce (siehe Seite 28) und frischer Koriander zum Servieren

Das Hähnchenfleisch in eine Schüssel legen, mit Buttermilch begießen, Tabasco und 1 kräftige Prise Salz hinzufügen. Mit frisch gewaschenen Händen vermischen, sodass das Fleisch rundum überzogen ist. Abdecken und 1–2 Std. im Kühlschrank marinieren.

Für den Krautsalat das Eigelb mit 1 EL Zitronensaft und 1 Prise Salz im Mixbehälter der Küchenmaschine bei hoher Geschwindigkeit vermischen, das Öl in stetigem dünnem Strahl zugießen, bis eine dicke, glänzende Mischung entsteht. Senf, Essig und Sauerrahm unterrühren. In eine Schüssel füllen, mit Frischhaltefolie abdecken und in den Kühlschrank stellen.

Den Backofengrill vorheizen. Die Maiskolben 2–3 Min. in kochendem Wasser garen, dann mithilfe einer Küchenange herausheben und überschüssiges Wasser abschütteln. Die Maiskolben im Backofen grillen, bis die Maiskörner etwas Farbe annehmen. Kurz abkühlen lassen, dann die Kolben senkrecht auf ein Schneidebrett stellen und vorsichtig mit einem scharfen Messer alle Körner abstreifen. In eine Schüssel füllen, die Chili zugeben, vermischen und abschmecken.

Die beiden Mehlsorten in einer Schüssel mischen. Die Hähnchenteile aus der Marinade heben, abtropfen lassen und im Mehl wenden.

Einen großen Topf mit schwerem Boden zu einem Viertel mit Reiskeimöl füllen. Zügig auf 180 °C erhitzen, dann auf mittlere bis hohe Temperatur reduzieren. Das Hähnchen portionsweise in etwa acht Durchgängen 4 Min. frittieren, dabei ein- bis zweimal wenden, bis die Hähnchenteile goldbraun, knusprig und durchgegart sind. Auf mehrlagigem Küchenpapier abtropfen lassen, überschüssiges Öl abtupfen, dann die Hähnchenteile auf einen Teller legen, großzügig mit Meersalz würzen und mit Folie abdecken.

Eine gerillte Grill- oder eine Bratpfanne bei hoher Temperatur erhitzen, dann je eine Tortilla darin von beiden Seiten kurz rösten. Auf einen Teller legen und zum Warmhalten mit Folie abdecken, die restlichen Tortillas auf dieselbe Weise rösten.

Für den Krautsalat die beiden Kohlsorten und die geraspelte Karotte in einer Schüssel vermischen, die Hälfte des Dressings und den restlichen Zitronensaft hinzufügen und gut vermischen.

Zum Servieren etwas Krautsalat und Mais mittig auf eine Tortilla geben und mit Hähnchenstreifen belegen. Einen Spritzer Limettensaft und ein oder zwei Spritzer Chilisauce zugeben, übriges Krautsalatdressing darüberträufeln. Mit Koriander bestreut servieren.

BRATHÄHNCHEN MIT SPECK-GRÜNKOHL-MANDEL-FÜLLUNG

Eine sichere Bank, wenn es darum geht, zu einer Dinnerparty etwas Schnelles und Einfaches auf den Tisch zu zaubern: Ich habe das Brathähnchen für mein Barossa-Mittagessen (siehe Seiten 32–41) zubereitet und es wurde begeistert verspeist.

Ich bin ein Riesenfan von Füllungen, daher bereite ich immer eine Extraportion zu, die ich separat zum Hähnchen serviere. Reste schmecken am nächsten Tag sehr gut als Belag auf einem Sandwich.

1 Zwiebel, grob gehackt
3 Knoblauchzehen, geschält
50 g ganze Mandeln 1 Handvoll glatte Petersilienblätter
2 Rosmarinzweige, Nadeln abgestreift und gehackt 150 g Sauerteigbrot, Kruste entfernt
250 g durchwachsener Frühstücksspeck vom Bio-Schwein, Fettrand und Schwarte entfernt, fein gewürfelt
130 g Grünkohl, Stängel entfernt, Blätter in feine Streifen geschnitten
1–2 Stücke eingelegte Zitronenschale, abgespült und gewürfelt
1 Apfel, geraspelt 1 Bio-Hähnchen (1,5 kg)
40 g weiche Butter 1 EL Olivenöl
Meersalz und frisch gemahlener schwarzer Pfeffer

2–3 Zitronen, halbiert oder geviertelt und einige zarte Rosmarinzweige (optional)

Für 4 Personen

Den Backofen auf 180 °C Umluft vorheizen.

Die Zwiebel mit dem Knoblauch im Mixbehälter der Küchenmaschine fein hacken, jedoch nicht pürieren, und in eine große Schüssel umfüllen. Die Mandeln in den Mixbehälter geben und nicht allzu fein hacken, dann ebenfalls in die Schüssel umfüllen. Nun die Kräuter in den Behälter geben, fein hacken und in die Schüssel geben. Zum Schluss das Brot im Mixbehälter zu feinen Bröseln verarbeiten und ebenfalls in die Schüssel füllen.

Den Speck, den Grünkohl, die eingelegte Zitrone und den Apfel hinzufügen, mit Pfeffer würzen und gründlich vermischen, dann beiseitestellen.

Die Haut so vorsichtig vom Hähnchenbrustfleisch lösen, dass sie nicht ein- oder abreißt, dann jeweils die Hälfte der Butter auf beiden Seiten der Hähnchenbrust zwischen Haut und Fleisch schieben und verteilen, indem du mit den Fingern außen über die Haut streichst.

Das Hähnchen innen salzen und pfeffern. Zwei Handvoll von der Füllung zu einer lockeren Kugel formen. Diese in das Hähnchen drücken – jedoch nicht zu viel Füllung verwenden –, dann die Keulen mit Küchengarn zusammenbinden. Die restliche Füllung auf ein Stück Aluminiumfolie geben, zu einer Rolle formen und in die Folie wickeln, damit sie ihre Form behält.

Das Hähnchen in einen Bräter geben, mit Salz und Pfeffer würzen und mit dem Olivenöl beträufeln. Die Zitronen und, falls verwendet, den Rosmarin um das Hähnchen herum im Bräter verteilen und 30 Min. im Ofen braten, dann die in Folie gewickelte Füllung dazulegen und weitere 40 Min. braten, bis das Hähnchen durchgegart ist und eine goldbraune knusprige Haut bekommen hat.

Das Brathähnchen vor dem Tranchieren 10 Min. ruhen lassen, dann zusammen mit der Extraportion Füllung servieren.

LAMMKOTELETTS MIT INDISCHEN GEWÜRZEN

№. 106

Diese Koteletts eignen sich hervorragend für eine Grillparty oder eine zwanglose Dinnerparty. Sie sind wunderbar würzig – und immer schnell verspeist. Gewöhnlich rechne ich vier Koteletts pro Person, weil sie so begehrt sind. Am besten auf einer Platte anrichten, dann kann sich jeder selbst bedienen.
Die Koteletts passen ausgezeichnet zum Couscous-Kichererbsen-Salat auf Seite 65 und den zerdrückten neuen Kartoffeln auf Seite 160. Mariniere die Koteletts bereits am Vortag, wenn du Zeit hast, da das Lammfleisch dann tatsächlich noch köstlicher ist.

16 Koteletts vom Bio-Lamm, pariert, Rippen etwas freigeschabt (vom Metzger küchenfertig vorbereiten lassen)

INDISCHE GEWÜRZMARINADE

80 ml Olivenöl
3 TL Garam Masala
1 TL gemahlener Kreuzkümmel
1 TL getrockneter Oregano
3 große Knoblauchzehen, fein gehackt
1 Handvoll glatte Petersilie, sehr fein gehackt
1 Handvoll Minze, sehr fein gehackt
fein abgeriebene Schale und Saft von 1 großen Zitrone
Meersalz und frisch gemahlener schwarzer Pfeffer

Zitronenspalten zum Servieren

Für 4 Personen

Für die Marinade alle Zutaten in eine Schüssel geben, mit Salz und Pfeffer würzen und aufschlagen, bis sich alle Zutaten verbunden haben. Zusammen mit den Lammkoteletts in einen großen Beutel mit Zipper-Verschluss füllen, verschließen und schütteln, damit sich alles gut vermischt.

Mindestens 6 Std. (oder über Nacht, falls möglich) im Kühlschrank marinieren lassen.

Eine Grillpfanne oder eine Grillplatte (Plancha) bei mittlerer bis hoher Temperatur erhitzen. Die Koteletts portionsweise jeweils 2 Min. pro Seite anbraten, sie sind dann *medium-rare* (rosa). Mit den Zitronenspalten anrichten und heiß servieren.

PIE MIT GESCHMORTER LAMMKEULE

Der Star auf der winterlichen Dinnerparty-Tafel – schon die Zubereitung macht richtig Spaß und das Ergebnis wird seine Wirkung nicht verfehlen! Die Pie schmeckt wunderbar zum Kartoffelpüree auf Seite 166. Ich verwende hier einen kräftigen Rotwein, idealerweise eine Cuvée aus Cabernet Sauvignon und Shiraz.

Für 6–8 Personen

2 EL Mehl
8 Keulen vom Bio-Lamm à 300 g, von überschüssigem Fett befreit
2 EL Reiskeimöl
2 Zwiebeln, geviertelt
2 Karotten, in 2 cm dicke Scheiben geschnitten
3 Selleriestangen, gewürfelt
8 große Knoblauchzehen, geschält
750 ml Rotwein von guter Qualität
6 Rosmarinzweige, von 4 Zweigen die Nadeln abgestreift
4 Thymianzweige, die Blättchen abgestreift
550 ml Rinderfond
1 EL Tomatenmark
2 EL Worcestersauce
1 EL Dijonsenf
fein abgeriebene Schale von 1 großen Bio-Zitrone
1 Bogen (300 g) Blätterteig von guter Qualität
1 Bio-Eigelb, verrührt mit einem Schuss Milch

Meersalz und frisch gemahlener schwarzer Pfeffer

Den Backofen auf 135 °C Umluft vorheizen.

Das Mehl auf einen großen Teller geben, die Lammkeulen darin wenden, sodass sie rundum bemehlt sind.

Das Öl in einem großen ofenfesten Bräter bei mittlerer bis hoher Temperatur erhitzen. Die Keulen portionsweise rundum darin anbraten, dann herausnehmen und auf Küchenpapier abtropfen lassen.

Die Zwiebeln mit Karotten, Sellerie und Knoblauch in den Bräter geben. Die Lammkeulen darauflegen, mit dem Rotwein übergießen und mit den Rosmarinnadeln und den Thymianblättchen bestreuen.

Den Fond mit Tomatenmark, Worcestersauce und Senf in einer großen Schüssel mit dem Schneebesen verrühren und mit Salz und Pfeffer würzen. Die Lammkeulen mit dieser Mischung übergießen, dann die Zitronenschale hinzufügen. Den Deckel auflegen und 4–5 Std. im Ofen schmoren, bis das Lammfleisch sehr zart ist.

Die Lammkeulen aus dem Bräter heben, in eine große Schüssel geben und so weit abkühlen lassen, bis man sie anfassen kann. Die Knochen herauslösen – das sollte leicht gehen – und das Fleisch in eine frische Schüssel legen. Sechs oder sieben Knochenstücke aufbewahren, unter fließendem, kaltem Wasser gründlich abspülen und beiseitelegen. Das Fleisch in eine Pieform mit 3 l Volumen füllen, dann das gegarte Gemüse mithilfe eines Schaumlöffels aus dem Bräter heben und darüber verteilen. Alles gut vermischen und bei abschmecken.

Die Flüssigkeit im Bräter mit einem Löffel von überschüssigem Fett befreien, erst bei hoher Temperatur zum Kochen bringen, dann bei mittlerer Temperatur 25–30 Min. köcheln, bis die Sauce auf etwa ein Drittel eingekocht, dick und glänzend geworden ist.

Den Backofen auf 190 °C Umluft vorheizen. Die Zutaten in der Pieform mit der Sauce übergießen. Den Blätterteigdeckel vorsichtig auflegen und am Rand fest andrücken. Mit einem kleinen scharfen Messer sechs oder sieben Schlitze in den Teig stechen und die aufbewahrten gesäuberten Knochen hineinstecken. Den Teig mit der Ei-Milch-Mischung bestreichen.

Im Ofen 35–40 Min. backen, bis der Blätterteig schön aufgegangen ist und eine appetitlich goldbraune Färbung angenommen hat. Kochend heiß auftischen.

WÜRZIGES ZITRONENLAMM

Grillen am Samstagnachmittag? Alles klar!
Dieses Gericht macht auch eine größere Gruppe satt und glücklich, da du je nach Bedarf auch problemlos zwei oder drei Lammkeulen grillen kannst – dann einfach aufschneiden und auf einer Platte anrichten. Den Emmersalat auf Seite 60 dazu servieren. Du könntest auch Pitabrote anbieten, die mit dem Fleisch und Salat gefüllt werden können – Teller überflüssig!

8 Kardamomkapseln 1 EL Koriandersamen
1 EL Fenchelsamen 1 TL Zimtpulver
fein abgeriebene Schale von 1 Bio-Zitrone zzgl. 2 Bio-Zitronen, längs geviertelt, Kerne entfernt
4 große Knoblauchzehen, grob gehackt
180 ml natives Olivenöl extra
1 entbeinte Keule vom Bio-Lamm (1,5 kg), flachgeklopft
Meersalz und frisch gemahlener schwarzer Pfeffer

Für 6 Personen

Die Kardamomkapseln mit dem Messergriff zerdrücken, die Samen heraussortieren und zusammen mit den Koriander- und den Fenchelsamen in eine kleine beschichtete Pfanne geben. Bei niedriger bis mittlerer Temperatur 2 Min. rösten oder so lange, bis die Gewürze zu duften beginnen.

Die gerösteten Gewürze mit dem Zimt und je 1 TL Salz und Pfeffer in den Mörser geben. Mit dem Stößel fein mahlen. Die abgeriebene Zitronenschale, Knoblauch und Olivenöl hinzufügen und zu einer Paste verarbeiten.

Das Lamm in eine große, flache Schüssel legen und von Hand die Marinade in das Fleisch einreiben, das Ganze abdecken und 4 Std. zum Marinieren in den Kühlschrank stellen.

Nach 3 Std. Marinierzeit den Backofen auf 180 °C vorheizen.

Die Zitronenviertel auf ein mit Backpapier ausgelegtes Backblech legen und 1 Std. im Ofen rösten, dann herausnehmen und beiseitestellen.

Einen Grill oder eine große Grillpfanne stark erhitzen. Das Lamm aus dem Kühlschrank nehmen, auf den Grill legen und pro Seite 5–6 Min. grillen, sodass es *medium-rare* (rosa) ist.

Das Lammfleisch vor dem Aufschneiden 15 Min. ruhen lassen.

Zum Servieren die in Scheiben geschnittene Lammkeule mit den gerösteten Zitronenvierteln auf einer rustikalen Platte anrichten und mit Meersalz bestreuen.

CHORIZO-TOMATEN-TARTE

№. 112

Während meines letzten Heimatbesuchs in Dublin stieß ich in einem Feinkostgeschäft auf die unglaublichsten alten Tomatensorten: wunderschön und herrlich farbenfroh. Ich nahm sie mit nach Hause und zauberte zusammen mit etwas Chorizo, frischem Basilikum, Mikro-Kräutern (so hübsch!) und ausgereiftem Balsamico dieses Gericht. Supersimpel und optisch sehr ansprechend, besonders zu einem Brunch am Wochenende oder als Vorspeise.

1 Bogen (300 g) Blätterteig von guter Qualität
1 Bio-Eigelb, verrührt mit einem Schuss Milch
200 g Chorizo von guter Qualität, in dünne Scheiben geschnitten
400 g bunte Tomaten, in Scheiben geschnitten
80 ml natives Olivenöl extra
1 kleine Handvoll Basilikum zzgl. ein paar Blätter zum Garnieren (optional)
Mikro-Kräuter, Baby-Rucola und essbare Blüten zum Garnieren (optional)
Meersalz und frisch gemahlener schwarzer Pfeffer

Für 4 Personen als leichtes Mittagessen

Den Backofen auf 180 °C Umluft vorheizen und ein Backblech mit Backpapier auslegen.

Den Blätterteig auf dem vorbereiteten Backblech ausbreiten und mit der Eigelb-Milch-Mischung bestreichen. Mit einem kleinen scharfen Messer rundum einen 1,5 cm breiten Rand anritzen, darauf achten, den Teig dabei nicht vollständig durchzuschneiden. Die Teigmitte mehrmals mit einer Gabel einstechen. Ein auf 20 cm x 20 cm gefaltetes Stück Backpapier mittig auf den Teig legen und mit einem kleinen Topfdeckel beschweren.

Den Teig 20 Min. blindbacken, dann das Blech aus dem Ofen nehmen.
Den Deckel und das Backpapier entfernen, dann den Teig — nach Belieben leicht überlappend — mit Chorizo- und Tomatenscheiben belegen.
Mit wenig Salz (die Chorizo ist schon salzig) und etwas Pfeffer würzen und mit 1 EL Olivenöl beträufeln, dann 25—30 Min. backen, bis der Teig schön aufgegangen ist und eine appetitlich goldbraune Färbung angenommen hat.

In der Zwischenzeit das Basilikum mit dem restlichen Öl im Mixer zu einer glatten Paste pürieren und nach Belieben mit Salz und Pfeffer abschmecken.

Vor dem Servieren das Gebäck mit dem Basilikumöl beträufeln und, falls gewünscht, mit Basilikum oder Mikro-Kräutern und essbaren Blüten garnieren.

FLAUTAS MIT SCHWEINEFLEISCH UND CREMIGEM APFEL-RADIESCHEN-KRAUTSALAT

Diese frittierten, gefüllten Tortillaröllchen sind nichts für Zaghafte, aber wunderbar, um eine hungrige Meute genussvoll satt zu bekommen. Nicht vergessen, die Hälfte des Dressings zum Dippen für die Flautas abzuzweigen. Die Röllchen sofort nach dem Frittieren servieren, so lange sie knusprig sind.

2 TL Koriandersamen
1 TL Kümmelsamen
2 TL Knoblauchpulver
1 TL edelsüßes Paprikapulver
1 TL Zimtpulver
2 TL ungesüßtes alkalisiertes Kakaopulver
1 TL Chiliflocken
1 TL Zwiebelpulver
1 TL Meersalz
125 ml Chipotle-Sauce (siehe Seite 28)
60 ml Olivenöl
2 kg Schulter vom Bio-Schwein mit Knochen (am Stück)
2 Zwiebeln, geviertelt
6 große ungeschälte Knoblauchzehen
1 Karotte, in 2 cm dicke Scheiben geschnitten
500 ml englischer Cider, ersatzweise französischer Cidre
12 Maistortillas
Reiskeimöl oder Olivenöl zum Anbraten

KRAUTSALAT MIT APFEL UND RADIESCHEN

1 EL Cidre-Essig, ersatzweise Apfelessig
150 g Mayonnaise von guter Qualität
60 g Sauerrahm
fein abgeriebene Schale und Saft von 1 Bio-Zitrone
200 g Rotkohl, fein gehobelt
8 Radieschen, geputzt und mit einer Mandoline sehr fein gehobelt
1 grüner Apfel, Kerngehäuse entfernt und in streichholzfeine Stäbchen geschnitten, mit einem Spritzer Zitronensaft beträufelt
1 Handvoll Korianderblätter

Für 12 Stück (4–6 Personen)

Den Backofen auf 140 °C Umluft vorheizen.

Koriander- und die Kümmelsamen bei niedriger bis mittlerer Temperatur in einer beschichteten Pfanne anrösten, bis sie zu duften beginnen. Mit Knoblauch-, Paprika-, Zimt- und Kakaopulver sowie Chiliflocken, Zwiebelpulver und Salz im Mörser fein mahlen. In einen großen Bräter geben, die Chipotle-Sauce und das Öl hinzufügen und gründlich verrühren. Dann das Schweinefleisch hineinlegen und die Marinade mit den Händen ins Fleisch reiben.

Das Fleisch mit Zwiebeln, Knoblauch und Karottenscheiben in den Bräter legen. Den Cider und 1/4 l Wasser zugießen, den Bräter in den Ofen stellen und 4 1/2 Std. offen schmoren. Zwischendurch prüfen, ob noch genügend Flüssigkeit vorhanden ist, und bei Bedarf Wasser füllen.

Die Schweineschulter 15 Min. abkühlen lassen, dann auf ein Schneidebrett legen und mithilfe zweier Gabeln das Fleisch vom Knochen lösen und zerpflücken. Das gegarte Gemüse mit einem Schaumlöffel aus dem Bräter heben und wegwerfen. Das zerkleinerte Fleisch zurück in den Bräter geben und mit der Sauce vermischen.

Den Backofen auf 130 °C Umluft vorheizen. Die Tortillas auf der sauberen Arbeitsfläche ausbreiten. Das zerpflückte Fleisch mit wenig Sauce jeweils mittig in einer Linie auf die Tortillas legen. Die Tortillas aufrollen und mit einem Zahnstocher fixieren.

Eine große Pfanne mit schwerem Boden 1 cm hoch mit Öl füllen und auf 160–170 °C erhitzen. Die Flautas portionsweise von zwei oder drei Stück 1–2 Min. pro Seite anbraten, bis sie goldbraun und superknusprig geworden sind, dann herausnehmen und kurz auf Küchenpapier abtropfen lassen. Die fertigen Flautas im Ofen warm halten, während die restlichen Flautas fertiggestellt werden.

Für den Krautsalat den Essig mit Mayonnaise, Sauerrahm, Zitronenschale und -saft verrühren. Den Rotkohl, die Radieschen und den Apfel in eine große Schüssel geben, die Hälfte des Dressings hinzufügen und alles gut vermischen. Mit Koriander bestreuen.

Die Zahnstocher entfernen und die Flautas mit einem schräg Schnitt halbieren. Mit Krautsalat und dem übrigen Salatdressing zum Dippen servieren.

EST 1899
TAYLOR, LAW & CO., LTD.

PISTONHEAD
FULL THROTTLE

RIPPCHEN MIT CHIPOTLE, LIMETTE UND JALAPEÑO

Eines meiner Lieblingsrezepte in diesem Buch – was meiner derzeitigen Vorliebe für alles, was Chipotle enthält, geschuldet ist. Die Rippchen sind klebrig und süß und pikant und säuerlich – eine prima Option fürs Wochenende bei Biergartenwetter.

1,5 kg Rippchen vom Bio-Schwein
250 ml Chipotle-Sauce (siehe Seite 28)
250 ml heller Agavendicksaft (siehe Seite 10)
fein abgeriebene Schale von 4 Bio-Limetten
250 ml Limettensaft
3 Jalapeño-Chilis, Samen und Scheidewände entfernt, in dünne Ringe geschnitten
Meersalz
Limettenspalten und Koriander zum Garnieren

Für 3 Portionen

Den Backofen auf 180 °C Umluft vorheizen.

Einen große Topf mit Wasser zum Kochen bringen, die Rippchen hineinlegen und 30 Min. simmern lassen, dabei ab und zu das an die Oberfläche aufsteigende Fett abschöpfen.

Die Chipotle-Sauce mit Agavendicksaft, Limettenschale, Limettensaft, Jalapeños (1 EL zum Garnieren zurückbehalten) und 1 großzügigen Prise Salz mit einem Schneebesen in einer Schüssel verrühren, bis sich alle Zutaten miteinander verbunden haben.

Die Rippchen in eine Auflaufform legen, mit der Sauce übergießen und 15 Min. im Backofen braten. Dann die Temperatur auf 150 °C Umluft reduzieren und nochmals 1–1¼ Std. schmoren, bis die Sauce dick, glänzend und karamellisiert ist, dabei alle 15 Min. mit der Marinade übergießen.

Mit Limettenspalten anrichten, mit Koriander und Chiliringen bestreuen und heiß servieren.

GEFÜLLTES SCHWEINEFILET MIT CIDRE UND AHORNSIRUP

Vor Jahren führte mich meine Mutter in die Kunst der Bratenfüllung und der Zubereitung von Schweinefilet ein – seitdem habe ich beides oft und gern für Dinnerpartys und sonntägliche Mittagessen zubereitet. Wie bereits erwähnt, bin ich ein großer Fan von Füllungen, daher mache ich immer eine Extraportion, die ich zum Braten serviere oder als Sandwichbelag für den nächsten Tag aufhebe.

2 Filets (à 400 g) vom Bio-Schwein
60 ml Ahornsirup
2 EL Olivenöl
750 ml trockener Cider, ersatzweise französicher Cidre
250 g Sahne
Meersalz und frisch gemahlener schwarzer Pfeffer

PFLAUMEN-APFEL-FÜLLUNG
1 Zwiebel, fein gehackt
4 große Knoblauchzehen, fein gehackt
150 g entsteinte Pflaumen, fein gehackt
100 g Macadamianüsse, geröstet und grob gehackt
100 g Weißbrot, fein zerkrümelt
2 grüne Äpfel, geraspelt
1 Handvoll glatte Petersilie, fein gehackt
8–10 Salbeiblätter, fein gehackt
5 Thymianzweige, Blättchen abgestreift
Meersalz und frisch gemahlener schwarzer Pfeffer

Für 4 P5rsonen

Den Backofen auf 190 °C Umluft vorheizen.

Für die Füllung alle Zutaten in eine Schüssel geben und gründlich vermischen.

Die Schweinefilets etwas flach klopfen. Die obere Seite salzen und pfeffern, dann auf einem Filet ein Drittel der Füllung verteilen. Ein zweites Filet mit der gewürzten Seite nach unten darauflegen, alles mit Küchengarn umwickeln – ohne die Füllung herauszudrücken – und so fixieren. Die restliche Füllung auf ein Stück Aluminiumfolie geben, zu einer Rolle formen und in die Folie wickeln, damit sie ihre Form behält.

Die gefüllten Filets auf einen Grillrost legen und diesen auf einen Bräter stellen.

Den Ahornsirup mit dem Öl und der Hälfte des Cider in einer kleinen Schüssel verrühren und das Fleisch damit übergießen. Im Ofen 50–60 Min. schmoren, bis das Fleisch durchgegart und an der Oberfläche karamellisiert ist. Die in Folie gewickelte Füllung nach 25 Min. ebenfalls in den Backofen legen. Danach das Schweinefilet auf eine Platte legen, zum Warmhalten abdecken, und die Füllung beiseitestellen.

Den Bräter mit dem aufgefangenen Bratensaft bei hoher Temperatur auf dem Herd erhitzen, den restlichen Cider zugießen. 10–12 Min. köcheln, bis die Flüssigkeit um ein Drittel eingekocht ist. Die Sahne unterrühren und 3–4 Min. simmern lassen, bis die Bratensauce schön dickflüssig eingekocht ist.

Das gefüllte Schweinefilet in dicke Scheiben schneiden (das Küchengarn vorher entfernen). Die Bratensauce und die Extraportion Füllung separat dazu reichen.

RAGOUT VOM SCHMORSCHWEIN

Comfort Food in Reinkultur, perfekt mit einer schönen Flasche Rotwein. Ambitionierte Köchinnen machen die Pasta natürlich selbst. Ich habe jedoch festgestellt, dass ich frische oder getrocknete Pasta für dieses Gericht noch immer kaufe.

2 Zwiebeln, geviertelt
1 Knoblauchknolle, in Zehen getrennt und geschält
750 ml guter Rotwein
1,5 kg Schulter vom Bio-Schwein mit Knochen (am Stück)
8 große Romatomaten, halbiert
1 große Handvoll Basilikum
2 Dosen (à 400 g) stückige Tomaten
1 EL Balsamico
1 EL fein abgeriebene Schale von 1 Bio-Zitrone
2 EL frisch gehackter Oregano
600 g Pappardelle oder Tagliatelle
Olivenöl zum Beträufeln
Meersalz und frisch gemahlener schwarzer Pfeffer

geriebener Parmesan zum Servieren (optional)

Für 6–8 Personen

Den Backofen auf 140 °C Umluft vorheizen.

Die Zwiebeln und den Knoblauch in einem großen Bräter verteilen, mit der Hälfte des Weins und 250 ml Wasser übergießen. Einen Grillrost auf den Bräter stellen und die Schweineschulter darauflegen. Mit 1 EL Öl beträufeln und kräftig salzen und pfeffern. Im Ofen 3 Std. braten, zwischendurch etwas Wasser in den Bräter gießen, wenn die Flüssigkeit fast verdunstet ist.

Nach den 3 Std. Garzeit die Tomatenhälften in eine Auflaufform geben, mit Salz und Pfeffer würzen und mit 1 EL Öl beträufeln. Zum Fleisch in den Ofen stellen und 2 Std. mitrösten, bis sie weich sind und in sich zusammenfallen und das Fleisch ebenfalls weich ist (nicht vergessen: regelmäßig prüfen, ob sich noch genügend Wasser im Bräter befindet).

Das Fleisch und die Tomaten aus dem Ofen nehmen. Das Fleisch auf ein Schneidebrett legen und beiseitestellen, dann die Zwiebeln, den Knoblauch und den Bratensaft aus dem Bräter zusammen mit den Tomatenhälften und dem ausgetretenen Tomatensaft in den Mixer füllen. Mit dem Basilikum zu einer glatten Sauce pürieren Die Sauce in eine Kasserolle füllen, dann die stückigen Tomaten, Essig, Zitronenschale, Oregano und den restlichen Wein zugeben. Abschmecken und bei niedriger bis mittlerer Temperatur 45 Min. köcheln, bis sie eindickt.

Die Schweineschulter in mundgerechte Stücke zerpflücken, dabei Hautreste, Fett und Knochen entfernen.

Die Pasta nach den Packungsangaben kochen und abgießen.

Das Fleisch in die Sauce geben und etwa 10 Min. erhitzen, bis es vollständig heiß und die Sauce weiter eingeköchelt ist.

Die abgetropfte Pasta in die Kasserolle geben und mit der Sauce vermischen. Auf Teller verteilen und großzügig mit frisch gemahlenem schwarzem Pfeffer und, falls gewünscht, geriebenem Parmesan bestreuen.

REDSTAR
Romantic
REDSTAR
Romantic

RAUCHIGES CHILI CON CARNE MIT SCHWARZEN BOHNEN

Auf dieses Rezept bin ich superstolz! Ich habe monatelang experimentiert, um zu diesem Ergebnis zu kommen: rauchig, süß und total lecker. Der Aufwand lohnt sich absolut! Getrocknete Ancho- und Chipotle-Chilis sind in Feinkostgeschäften erhältlich. Ich verwende hier gern Jack Daniel's Whiskey, aber jede andere Sorte funktioniert genauso gut.

2 große getrocknete Ancho-Chilis
2 getrocknete Chipotle-Chilis
1 kg Nacken vom Bio-Rind, überschüssiges Fett entfernt, in 3 cm dicke Würfel geschnitten
2 EL Mehl
4 EL Olivenöl
1 Zwiebel, gewürfelt
4 Knoblauchzehen, fein gehackt
2 TL gemahlener Kreuzkümmel
2 TL Pimenton (geräuchertes Paprikapulver)
1 TL Zimtpulver
1 TL gerebelter Oregano
1 EL ungesüßtes alkalisiertes Kakaopulver
1 l Rinderfond
80 ml Whiskey
1 EL Chipotle-Sauce (siehe Seite 28)
1 Lorbeerblatt
2 rote Paprika, gewaschen, halbiert, geputzt und in mundgerechte Stücke geschnitten
2 Dosen (à 400 g) stückige Tomaten
2 EL Tomatenmark
2 EL Muscovado-Zucker oder dunkelbrauner Zucker
1 Dose (400 g) schwarze Bohnen, abgespült und abgetropft
1 Dose (400 g) Kidneybohnen, abgespült und abgetropft
Meersalz und frisch gemahlener schwarzer Pfeffer
Korianderblätter zum Garnieren
gedämpfter Naturreis, Sauerrahm und geriebener Käse zum Servieren

Für 6–8 Personen

Die getrockneten Chilis in eine hitzefeste Schüssel geben, mit kochendem Wasser übergießen und 30 Min. quellen lassen. Abgießen, dann fein hacken – die Samen mitverwenden – und beiseitestellen.

Die Fleischwürfel mit dem Mehl in einen großen Beutel mit Zipper-Verschluss füllen, salzen, pfeffern, verschließen und kräftig schütteln, bis das Fleisch rundum überzogen ist.

In einer großen Kasserolle mit schwerem Boden 1 EL Öl bei mittlerer Temperatur erhitzen, dann die Hälfte des Rindfleischs darin 2–3 Min. von allen Seiten anbraten. Auf einem mit Küchenpapier ausgelegten Teller abtropfen lassen, das restliche Rindfleisch in auf dieselbe Weise anbraten.

Wieder 1 EL Öl in die Kasserolle geben und darin die Zwiebel und den Knoblauch 3–4 Min. bei mittlerer Temperatur anbraten, bis sie weich werden.

Die Gewürze und den Oregano unterrühren und unter gelegentlichem Rühren 1 Min. erhitzen.

In einer Tasse das Kakaopulver und 2 EL Rinderfond mit einem Schneebesen verrühren, dann diese Mischung zusammen mit dem restlichen Fond, Whiskey, Chipotle-Sauce, Lorbeerblatt, Paprika, Tomaten, Tomatenmark, Zucker, Rindfleisch und den gehackten Chilis inklusive Samen in die Kasserolle geben. Gründlich vermischen und mit schräg aufliegendem Deckel zum Kochen bringen. Danach bei niedriger Temperatur etwa 1½ Std. köcheln, bis das Fleisch sehr zart ist, alle 15 Min. umrühren und prüfen, dass die Mischung nicht am Topfboden ansetzt.

Die Bohnen hinzufügen und weitere 15 Min. köcheln. Mit Salz und Pfeffer abschmecken, mit dem Koriandergrün garnieren und servieren. Gedämpften Reis, Sauerrahm und geriebenen Käse separat dazu reichen.

ALE

FILET WELLINGTON

Ein Klassiker, der perfekt mit meinem cremigen Kartoffelbrei von Seite 166 und viel gutem, kräftigem Shiraz harmoniert. Der Teig reicht aus, um etwa sieben Crêpes zu backen. So viele brauchst du nicht, aber falls beim Einwickeln ein Malheur passieren sollte, ist für ausreichend Ersatz gesorgt! Außerdem wird der erste Crêpe meist nicht so schön.

50 g Mehl
1 Bio-Ei
250 ml Milch
2 TL fein gehackte glatte Petersilie
1 TL fein gehackter Thymian zzgl. etwas zum Garnieren
850 g Filet vom Bio-Rind am Stück, Silberhaut entfernt (vom Metzger entfernen lassen)
1 EL Dijonsenf
1 EL Sahnemeerrettich
1 Rosmarinzweig, Nadeln abgestreift, sehr fein gehackt
2 EL Butter
300 g kleine braune Champignons, fein gehackt
6 große Scheiben roher Schinken
1 Bogen (300 g) Butter-Blätterteig
1 Bio-Eigelb, verrührt mit einem Schuss Milch

Meersalz und frisch gemahlener schwarzer Pfeffer
Olivenöl nach Bedarf

Für 4 Personen

Das Mehl in eine Rührschüssel sieben und in die Mitte eine Mulde drücken. Das Ei hineinschlagen, langsam die Milch zugießen und mit dem Handmixer zu einem glatten Teig schlagen. Die Kräuter unterrühren, salzen und pfeffern.

Eine beschichtete Crêpepfanne (20 cm Ø) bei mittlerer Temperatur erhitzen, dann soviel Öl zugießen, dass der Boden gerade bedeckt ist. 2½ EL Teig hineingeben und die Pfanne so schwenken, dass der Teig den Boden gleichmäßig überzieht. 1–2 Min. goldgelb backen, Crêpe umdrehen und von der anderen Seite nochmals 30–60 Sek. backen. Auf einen Teller legen und aus dem restlichen Teig weitere Crêpes backen, bis du vier gleich große und gleichmäßig runde hast.

In einer Pfanne 2 EL Öl erhitzen und das Rinderfilet rundum scharf anbraten, dann beiseitestellen. 1 EL Salz und 1 TL Pfeffer auf einem Teller vermischen. Senf, Sahnemeerrettich und Rosmarin in einer kleinen Schüssel verrühren. Das scharf angebratene Filet rundum mit der Paste bestreichen und anschließend durch die Salz-Pfeffer-Mischung rollen.

Die Pfanne mit Küchenpapier auswischen und die Butter darin schmelzen. Die Pilze und 1 Prise Salz zugeben und 12–15 Min. anbraten, bis ein Großteil der Flüssigkeit verdampft ist. Die Pilze aus der Pfanne nehmen und vollständig abkühlen lassen.

Die Schinkenscheiben der Länge nach leicht überlappend auf einem großen Stück Backpapier auslegen. Die Pilze darauf verteilen, dabei einen 3 cm breiten Rand freilassen. Das Rinderfilet quer darauflegen, die Enden der Schinkenscheiben so nach oben einschlagen, dass Fleisch und Pilze fest umschlossen sind. Das Backpapier abziehen.

Auf einem zweiten Backpapier die vier Crêpes zu zum Quadrat ausbreiten, dabei jeweils 1–2 cm überlappen lassen. Das umwickelte Rinderfilet mittig auflegen. Mithilfe des Backpapiers um das Filet wickeln und mit dem Crêpes ummanteln. Das Backpapier entfernen.

Den Blätterteigbogen ebenfalls auf ein Stück Backpapier legen und zu einem 30 cm x 30 cm großen Quadrat ausrollen. Das Filet in die Mitte setzen. Die Teigränder zum Versiegeln mit Wasser anfeuchten. Eine Seite des Teigbogens über das Filet klappen, dabei die Seiten einschlagen, danach das Päckchen komplett einrollen. Die Ränder gut andrücken, das Päckchen mit der Nahtstelle nach unten auf eine Platte legen und 15 Min. kühlen.

Den Backofen auf 180 °C Umluft vorheizen und bereits ein Backblech einschieben, damit es heiß wird.

Den Blätterteig mit der Ei-Milch-Mischung bestreichen, das Paket mithilfe des Backpapiers auf das heiße Blech heben und etwa 40 Min. im Ofen braten, bis der Teig goldbraun und das Fleisch bis zum gewünschten Gargrad gebraten ist (55 °C Kerntemperatur für *medium-rare* (rosa)).

Das Filet Wellington 5 Min. ruhen lassen, dann in 2–3 cm dicke Scheiben schneiden und servieren.

№. 128

DAS ECHTE-MÄNNER-SANDWICH

Wer seinen Mann – oder jede andere Person mit gesegnetem Appetit – satt und glücklich machen will: hier ist DIE Idee mit Erfolgsgarantie! Reste des Zwiebel-Bier-Chutneys schmecken im Rahmen einer Käseplatte besonders gut zu einem kräftigen reifen Cheddar. Für das Pesto können auch normale Grünkohlblätter verwendet werden (die dicke Mittelrippe entfernen), wenn kein Babygrünkohl erhältlich ist.

2 Sirloinsteaks (à 220 g) vom Bio-Rind
8 dicke Scheiben Brot mit knuspriger Kruste
1 große Knoblauchzehe, halbiert
30 g frische Babyspinatblätter
2 Rispentomaten, in Scheiben geschnitten
150 g Mayonnaise, verrührt mit 3 TL Barbecue-Sauce (optional)
Meersalz und frisch gemahlener schwarzer Pfeffer

ZWIEBEL-BIER-CHUTNEY

1 EL Olivenöl
2 große rote Zwiebeln, halbiert und in dünne Scheiben geschnitten
2 EL brauner Zucker
125 ml Bier
2 EL Balsamico
Meersalz

SPINAT-GRÜNKOHL-PESTO

50 g frische Babyspinatblätter
50 g Babygrünkohlblätter
30 g Walnusskerne
60 g Ziegenkäse

Für 4 Portionen

Für das Chutney das Öl bei mittlerer Temperatur in einer großen Pfanne erhitzen. Die Zwiebeln und 1 kräftige Prise Salz darin unter häufigem Rühren 10–12 Min. anbraten, bis die Zwiebel karamellisieren. Zucker, Bier und Essig unterrühren und bei niedriger Temperatur weitere 15 Min. unter Rühren erhitzen, bis ein dickes glänzendes Chutney entstanden ist. Vom Herd nehmen und beiseitestellen.

Für das Pesto alle Zutaten in der Küchenmaschine zu einer dicken Paste pürieren (falls nötig mit 1–2 TL Wasser verdünnen).

Die Steaks auf beiden Seiten gut salzen und pfeffern. Eine Grillpfanne oder eine Grillplatte (Plancha) mittel bis stark erhitzen, dann die Steaks 3–4 Min. pro Seite oder bis zum gewünschten Gargrad anbraten. Auf einem Teller 5–6 Min. ruhen lassen und in 2 cm dicke Streifen schneiden.

Das Brot goldbraun toasten, dann eine Seite mit der Schnittfläche des Knoblauchs einreiben.

4 Brotscheiben mit Pesto bestreichen, Spinatblätter und Tomatenscheiben darauf verteilen, Steakstreifen auflegen und 1 EL Chutney darauf verstreichen. Mit der Mayonnaise abschließen, dann die übrigen Brotscheiben als Deckel auflegen, mit einem Spießchen feststecken und servieren.

Deus
USTOMS

No. 130

TRÜFFEL-BURGER MIT PANCETTA UND CRÈME-FRAÎCHE-PILZEN

Zugegeben, Trüffelsalz ist ein teurer Spaß, aber es ist sehr ergiebig und du brauchst hier nur eine kleine Menge. Es wird in ausgewählten Feinkostläden und online angeboten.

2 EL Olivenöl
300 g braune Champignons, davon 100 g gehackt, 200 g in dicke Scheiben geschnitten
3 Thymianzweige, Blättchen abgestreift
800 g mageres Hackfleisch vom Bio-Rind
1 kleine Zwiebel, fein gehackt
4 große Knoblauchzehen, fein gehackt
½ TL Trüffelsalz
70 g frisch geriebener Parmesan
3 TL Tomatenmark
1 TL Dijonsenf
8 dünne Scheiben Pancetta
3 EL Crème fraîche
Meersalz und frisch gemahlener schwarzer Pfeffer
reifer Cheddar in dünnen Scheiben, Salatblätter und Tomatenscheiben zum Servieren
4 Hamburger- oder Brioche-Brötchen

Für 4 Personen

In einer großen beschichteten Pfanne 1 EL Öl erhitzen. Die gehackten Pilze und den Thymian darin unter Rühren 2–3 Min. anbraten, dann in eine Schüssel füllen und zum Abkühlen beiseitestellen.

Das Hackfleisch mit der Zwiebel, dem Knoblauch, Trüffelsalz, Parmesan, Tomatenmark, Senf sowie etwas Salz und Pfeffer in eine große Schüssel geben. Mit den Händen alles gründlich verkneten.
Zu vier dicken Pattys von etwa 11 cm Ø formen und auf eine mit Küchenpapier ausgelegte Platte legen. Mit Frischhaltefolie abdecken und 30 Min. kalt stellen.

Den Backofengrill vorheizen und zwei Backbleche mit Backpapier auslegen. Pancetta auf einem der Bleche ausbreiten und 6–10 Min. im Ofen knusprig grillen.

Eine Grillplatte (Plancha) für den Holzkohlengrill oder eine Grillpfanne erhitzen. Sobald sie heiß ist, die Pattys 2–3 Min. pro Seite grillen, dann auf das zweite vorbereitete Blech legen und 6–8 Min. im Ofen (180 °C Umluft) fertig backen, bis der gewünschte Gargrad erreicht ist.
Herausnehmen und 10 Min. ruhen lassen.

Inzwischen das restliche Öl bei hoher Temperatur in einer großen beschichteten Pfanne erhitzen. Die in Scheiben geschnittenen Pilze darin 3–4 Min. anbraten, bis sie weich und gebräunt sind. Die Pfanne vom Herd nehmen, Crème fraîche unterrühren, mit Salz und Pfeffer abschmecken und in eine Servierschüssel füllen.

Die Pilz-Thymian-Mischung auf den Pattys verteilen, darauf 1–2 Scheiben Käse legen, dann kurz unter dem Backofengrill gratinieren, bis der Käse schmilzt.

Zum Fertigstellen die Brötchenunterhälften mit Salatblättern, Tomatenscheiben und Pancetta belegen. Darauf die mit Pilzen und Käse gratinierten Pattys setzen und die Brötchenoberhälften drauflegen.
Die Crème-fraîche-Pilze separat dazu servieren.

GARNELEN-CURRY MIT CHILI UND TAMARINDE

Tamarindenpaste wird gebrauchsfertig in Gläsern angeboten, einen intensiveren Geschmack erhältst du jedoch, wenn du sie mithilfe von Tamarindenfruchtfleisch selbst herstellst. Dazu 1 EL Fruchtfleisch mit 60 ml Wasser in einem kleinen Topf bei mittlerer Temperatur zum Simmern bringen. Sobald es simmert, 30–60 Sek. köcheln, dabei das Fruchtfleisch mit einem Kartoffelstampfer zerdrücken, bis sich das Fruchtfleisch aufgelöst hat und das Wasser leicht andickt. Durch ein feinmaschiges Sieb passieren, die im Sieb zurückbleibenden Samen und Fasern entsorgen, und das entstandene Mark im Rezept verwenden. Sowohl das Fruchtfleisch als auch die fertige Paste sind in Asialäden erhältlich.

2 EL Olivenöl
2 kleine Zwiebeln, fein gehackt
5 große Knoblauchzehen, fein gehackt
2 lange grüne Chilis, Samen entfernt, fein gehackt, zzgl. Chili zum Garnieren
2 Dosen (à 400 g) stückige Tomaten
750 ml Fischfond
2 EL Fischsauce
1 Zitronengrasstängel, nur der weiße Teil, fein gehackt
2 Kaffirlimettenblätter, in feine Streifen geschnitten
4 Frühlingszwiebeln, in dünne Ringe geschnitten
1 EL Tamarindenmark oder -paste
400 ml Kokosmilch
1 kg rohe Riesengarnelen, gepult, ohne Darm
1 große Handvoll Korianderblätter, fein gehackt, zzgl. ein paar Blätter zum Garnieren
fein abgeriebene Schale und ausgepresster Saft von 2 kleinen Bio-Limetten zzgl. einige Limettenspalten zum Servieren
Meersalz und frisch gemahlener schwarzer Pfeffer

Gedämpfter Reis zum Servieren

Für 4 Portionen

Das Öl bei mittlerer Temperatur in einem großen Topf erhitzen. Die Zwiebeln, den Knoblauch und 1 Prise Salz darin unter Rühren 4–5 Min. anbraten, bis die Zwiebeln weich sind. Die Chilis, Tomaten, Fond, Fischsauce, Zitronengras, Kaffirlimetten-blätter, Frühlingszwiebeln, Tamarindenmark und Kokosmilch hinzufügen und verrühren, bis sich alle Zutaten miteinander verbunden haben. 20 Min. köcheln lassen.

Die Garnelen und den Koriander unterrühren, dann salzen und pfeffern und nochmals 2–3 Min. erhitzen, bis die Garnelen gerade eben gar sind. Limettenschale und -saft untermischen und mit Chiliringen sowie dem Koriander garnieren. Mit gedämpftem Reis und Limettenspalten servieren.

REGENBOGENFORELLE MIT ZITRONEN-CHAMPAGNER-SAUCE

Ein einfaches Gericht mit wunderbarem, raffiniertem Geschmack! Bestens geeignet für ein festliches Abendessen und besonders fein mit gekochten Mini-Kartoffeln (Drillinge) mit Minze.

750 ml trockener Weißwein
2 Selleriestangen, in dünne Scheiben geschnitten
1 kleine Fenchelknolle, geputzt und in dünne Scheiben geschnitten, das Grün grob gehackt
1 TL schwarze Pfefferkörner
2 Bio-Zitronen, in dünne Scheiben geschnitten, Kerne entfernt
1 Bund Estragon, davon 12 Blätter fein gehackt für die Sauce, die restlichen Blätter abgestreift
1 EL eingelegte Kapern, gut abgespült und abgetropft
1 kg Regenbogenforelle am Stück, mit Haut, Grätenspitzen entfernt (vom Fischhändler vorbereiten lassen)
Zitronenthymian zum Servieren
frisch gemahlener schwarzer Pfeffer

ZITRONEN-CHAMPAGNER-SAUCE

1 Bio-Eigelb
1 TL Weißweinessig
1 EL Zitronensaft
250 ml Sonnenblumenöl
1 TL Dijonsenf
80 ml Sekt oder Champagner
Meersalz und frisch gemahlener weißer Pfeffer

Für 4–6 Portionen

Den Wein mit 2,5 l Wasser in einen großen Bräter gießen (meiner ist 26 cm x 36 cm x 8 cm groß), dann Sellerie, den Fenchel, Fenchelgrün, Pfefferkörner, Zitronenscheiben, Estragonblätter und Kapern hineingeben. Bei mittlerer bis hoher Temperatur zum Kochen bringen und 10–12 Min. bei mittlerer Temperatur köcheln.

Den Fisch mit der Hautseite nach unten hineinlegen und 5 Min. köcheln, dabei gelegentlich kotrollieren, dass er vollständig im Sud liegt. Den Herd ausschalten und den Fisch weitere 10 Min. im Sud ziehen lassen, wobei er weitergart.

Inzwischen für die Sauce das Eigelb mit Essig, Zitronensaft und 1 Prise Salz im Mixbehälter der Küchenmaschine bei hoher Stufe aufschlagen, dann das Öl in stetigem dünnem Strahl zugießen – und schon entsteht eine dicke, glänzende Mayonnaise. Den Senf, etwas weißen Pfeffer und die beiseitegestellten gehackten Estragonblätter hinzufügen und erneut verquirlen. Den Sekt oder Champagner zugießen und kurz untermischen, damit er sich mit der Mayo verbindet, die jetzt locker und cremig ist. (Ergibt ca. 450 g.)

Zum Servieren den pochierten Fisch mithilfe von zwei Spateln vorsichtig aus dem Sud herausheben und auf eine Servierplatte legen. Mit dem Zitronenthymian bestreuen und mit etwas Pfeffer übermahlen. Mit der Sauce beträufeln und servieren.

FISCH-TACOS MIT SCHWARZER QUINOA UND MAIS-SALSA

Ich bereite diese Tacos häufig unter der Woche zu, sie eignen sich aber auch hervorragend zum Mitnehmen für ein Picknick am Wochenende. Einfach die einzelnen Bestandteile vorbereiten, in Dosen füllen und dann vor Ort fertigstellen. Ich empfehle hier Maistortillas anstelle von Weizenmehltortillas, da sie gerade in Kombination mit der Mais-Salsa super schmecken.
Tipp: Das Wasser zum Maiskochen nie salzen, das macht den Mais zäh. Barramundi kommt in australischen Gewässern vor. Für Europa sind Barsch und Zander ein guter Ersatz.

600 g Barramundi-Filets, in 2–3 cm dicke Würfel geschnitten
2 EL natives Olivenöl extra
3 Bio-Limetten zzgl. einige Limettenspalten zum Servieren
100 g schwarze Quinoa
2 Maiskolben, Hüllblätter und Maisbart entfernt
250 g Kirschtomaten, geviertelt
4 Frühlingszwiebeln, in dünne Ringe geschnitten
½ kleine rote Zwiebel, fein gehackt
2 Jalapeño-Chilis oder lange grüne Chilis, Samen entfernt, fein gehackt
1 große Handvoll Minzeblätter
1 große Handvoll Korianderblätter
200 g Sauerrahm
12 Maistortillas (20 cm Ø), erwärmt
Meersalz und frisch gemahlener schwarzer Pfeffer

Für 12 gefüllte Tortillas

Den Fisch mit 1 EL Olivenöl in eine Edelstahl- oder Glasschüssel geben. Die fein abgeriebene Schale von 1 Limette und den ausgepressten Saft von 2 Limetten hinzufügen. Gut salzen und pfeffern, mit Frischhaltefolie abdecken und für 1 Std. in den Kühlschrank stellen.

Die Quinoa mit 250 ml kaltem Wasser in eine Kasserolle geben. Zum Kochen bringen, dann bei niedriger bis mittlerer Temperatur abgedeckt etwa 30 Min. köcheln, bis sie gar ist und das Wasser aufgesogen hat; währenddessen ab und zu umrühren. Zum Abkühlen beiseitestellen.

Den Backofengrill vorheizen. Die Maiskolben 2–3 Min. in kochendem Wasser garen, dann herausheben, abtropfen lassen und im Backofen grillen, bis die Maiskörner etwas Farbe annehmen – zwischendurch wenden. Kurz abkühlen lassen, dann die Kolben senkrecht auf ein Schneidbrett stellen, mit einem scharfen Messer behutsam alle Körner abstreifen und in eine Schüssel füllen. Sobald sie komplett abgekühlt sind, die Tomaten, Frühlingszwiebeln, die rote Zwiebel und die Chili zugeben. Den Saft einer halben Limette zugießen, unterheben und 30 Min. ziehen lassen, damit sich die Aromen verbinden.

Ein Drittel von Minze und Koriander fein hacken und unter die Salsa mischen. Kräftig mit Salz und Pfeffer abschmecken, gut vermischen und beiseitestellen.

Den Sauerrahm und den Saft der letzten halben Limette in einer kleinen Schüssel verrühren und beiseitestellen.

Die restlichen Kräuter grob hacken (eine kleine Menge zum Garnieren aufbewahren) und in eine Schüssel füllen. Den Fisch abtropfen lassen, dann in den Kräutern wenden, sodass er rundum damit bedeckt ist. Das restliche Öl in einer großen beschichteten Pfanne bei mittlerer bis hoher Temperatur erhitzen. Den Fisch darin 1–2 Min. anbraten, bis er gerade eben gar ist und auseinanderzufallen droht, dabei einmal wenden.

Die Tortillas mit einer kleinen Menge Limetten-Sauerrahm bestreichen, dann mit der Quinoa und danach mit der Salsa bedecken, zum Schluss den Fisch darauflegen. Mit den zurückbehaltenen Kräutern garnieren und mit den Limettenspalten anrichten.

CHIASAMEN-QUICHE MIT REGENBOGENFORELLE UND KARTOFFELN

Ein großartiges „Die-Schwiegermutter-kommt-spontan-zum-Essen"-Gericht. Wenn die Zeit ganz knapp ist, kannst du auch fertigen Mürbeteig verwenden. Mikro-Kräuter werden mittlerweile in immer mehr Supermärkten und in unterschiedlichsten Kombinationen angeboten: Baby-Sauerampfer harmoniert besonders gut mit Forelle.

400 g Drillinge (besonders kleine Kartoffeln), unter fließendem Wasser abgebürstet
1 EL Olivenöl
275 g Weißkohl, sehr dünn gehobelt
6 Bio-Eier
125 ml Milch
120 g Crème fraîche, glatt gerührt
1 Handvoll Dill, mit der Haushaltsschere in kurze Stücke geschnitten
2 EL Chiasamen
200 g geräuchertes Regenbogenforellenfilet, zerzupft
Meersalz und frisch gemahlener schwarzer Pfeffer
1 Handvoll Mikro-Kräuter (optional)

grüner Blattsalat zum Servieren

CHIA-MÜRBETEIG
270 g Mehl zzgl. etwas Mehl zum Bestäuben
150 g Butter, gekühlt und gewürfelt
80 g Sauerrahm
2 EL Chiasamen
Meersalz

Für 8 Stücke

Für den Mürbeteig das Mehl mit der Butter und ½ TL Salz in den Mixbehälter der Küchenmaschine geben und zu semmelbröselähnlichen Krümeln verarbeiten. Sauerrahm und Chiasamen hinzufügen und erneut vermischen. Herausnehmen und auf der leicht bemehlten Arbeitsfläche mit den Händen kneten, bis der Teig weich und leicht klebrig ist.

Den Teig zu einer Scheibe formen, in Plastikfolie wickeln und für 30 Min. in den Kühlschrank stellen.

Inzwischen die Kartoffeln in einer großen Kasserolle mit Salzwasser zum Kochen bringen. Dann bei mittlerer Temperatur 20–25 Min. kochen, bis ein Messer ohne Widerstand bis in die Mitte eingestochen werden kann. Abgießen und zum Abkühlen beiseitestellen, dann in 1 cm dicke Scheiben schneiden.

Den Backofen auf 180 °C Umluft vorheizen. Eine Tarteform (28 cm Ø) mit losem Boden einfetten.

Das Öl bei mittlerer bis hoher Temperatur in einer Pfanne mit hohem Rand erhitzen. Den Weißkohl hineingeben und unter häufigem Rühren 3–4 Min. anbraten, bis er weich und an den Rändern goldbraun zu werden beginnt. Vom Herd nehmen und beiseitestellen.

Den Teig auf der bemehlten Arbeitsfläche 5 mm dick ausrollen und die vorbereitete Form damit auskleiden. Den Teigboden 30 Min. kalt stellen.

Zwei große Stücke Backpapier mit den Händen zerknüllen, dann überlappend auf dem Teigboden ausbreiten, sodass er vollständig bedeckt ist. Mit Backerbsen oder (ungegartem) Reis füllen und 20 Min. blindbacken, dann das Papier samt den Backerbsen oder dem Reis entfernen und nochmals 12–15 Min. backen, bis der Teig eine leicht goldgelbe Färbung angenommen hat. Zum Abkühlen beiseitestellen.

Die Eier mit Milch, Crème fraîche, Dill und Chiasamen verquirlen und mit Salz und Pfeffer würzen.

Den Teigboden mit den Kartoffelscheiben auslegen, eine Schicht Weißkohl darauf verteilen und darauf das zerzupfte Forellenfilet. Vorsichtig mit der Eimischung übergießen. Die festen Bestandteile mit dem Gabelrücken nach unten drücken, sodass die Flüssigkeit an die Oberfläche gelangt. 30–35 Min. backen, bis die Quiche goldbraun wird und die Eiermilch gestockt ist.

Heiß oder lauwarm servieren. Nach Belieben mit den Mikro-Kräutern bestreuen und mit einem grünen Blattsalat genießen.

GEFÜLLTER SCHNAPPER AUS DEM OFEN

Du kannst dieses Gericht auch mit einem ganzen Roten Schnapper zubereiten, ich finde es jedoch komfortabler mit zwei großen Filets. Lass dir den Fisch vom Fischhändler gründlich entgräten. Die Füllung ist zwar einfach, aber sehr effektvoll durch die kontrastierenden Aromen von salzigem Schinken und säuerlichen Kapern.

2 große Schalotten, fein gehackt
2 Knoblauchzehen, fein gehackt
250 g Schinkenwürfel
2 EL in Salz eingelegte Kapern, abgespült und abgetropft
1 kleines Bund Dill, fein gehackt, zzgl. einige Dillzweige zum Garnieren
2 große Schnapperfilets (à 700 g)
2 Zitronen, geviertelt
Olivenöl oder Reiskeimöl zum Anbraten
Meersalz und frisch gemahlener schwarzer Pfeffer

Für 4–6 Personen

Den Backofen auf 190 °C Umluft vorheizen, ein Backblech mit Backpapier auslegen.

In einer Pfanne 1 EL Öl bei mittlerer Temperatur erhitzen und die Schalotten darin unter häufigem Rühren 2–3 Min. anbraten. Den Knoblauch hinzufügen und ebenfalls unter Rühren 2 Min. anbraten, dann den Schinken zugeben und nochmals etwa 2 Min. anbraten, bis er rosa und gar ist. Zum Abkühlen beiseitestellen, dann in eine Schüssel umfüllen und mit Kapern und Dill vermengen, mit Salz (Vorsicht, der Schinken ist schon sehr salzig) und Pfeffer würzen.

Die Fischfilets auf einer Seite salzen. Ein Filet mit der gesalzenen Seite nach oben auf das vorbereitete Backblech legen. Die Füllung auf dem Fischfilet verteilen, dabei gut andrücken, dann mit dem zweiten Filet belegen und sorgfältig mit Küchengarn fixieren. Salzen und pfeffern, mit den Zitronenvierteln umlegen und 30–35 Min. im Ofen garen, bis der Fisch gerade eben durchgegart ist.

Mit den Dillzweigen garnieren und sofort servieren.

TRATTORIA
PI
BAR
ROBERTO
RISTORANTE
OSTARIA
GELATI ICE CREAM

№. 143

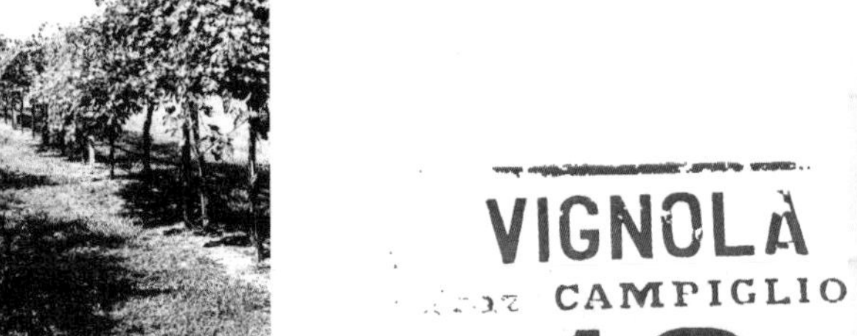

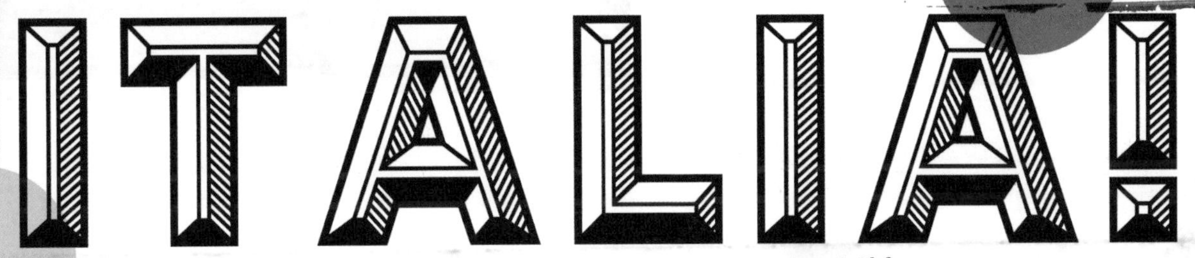

BOLOGNA
VENICE
CAPRI
Ravello
POSITANO

IL PODESTA
DELLA COMUNE DI MODENA

AVVISO.

La [illegible] imposta a vantaggio di questa Communità sui Dazj di Consumo pel venturo Anno 1823. per far fronte alle Spese, giusta la Governativa approvazione al Conto preventivo, è stabilita dalla seguente Tariffa [illegible] alla Comunità da S. E. il Sig. Governatore con dispaccio d'ogg[illegible], che si rende nota al Pubblico pel corrispondente pagamento dal primo dell'corrente Anno in avanti.

TARIFFA

E. F. MONTECUCCOLI.

TARDINI.

2561 2562 256

Für mich gehört Italien zu den magischsten Ländern dieser Erde. Abgesehen von der Anreise, die von Sydney aus über 24 Stunden dauert, ist es ein Land, in das ich mich bei jedem Aufenthalt mehr verliebe. Die Menschen, die Landschaft, die Geschichte, die mittelalterlichen Städte, die Sprache – alles zieht mich in seinen Bann, ganz besonders das Essen, was im Laufe der Jahre deutliche Spuren auf meinem Blog hinterlassen hat.

Italienisches Essen ist mir von allen Länderküchen das liebste, und ich genieße es, die regionale Kochkunst zu erkunden. Also habe ich in meinem letzten Urlaub beschlossen, diesmal nicht wie üblich Siena in der Toskana anzusteuern, sondern das weiter nord-östlich liegende Venedig und danach Bologna, um die kulinarischen Wunderdinge zu genießen, für die dieser Teil des Landes bekannt ist: Parmesan, luftgetrocknete Fleisch- und Wurstspezialitäten, Schweinefleischgerichte und die köstlichsten Aceti balsamici, die ich jemals gekostet habe.

Meine Reise begann in Venedig, einer zauberhaften Stadt, die jeder mindestens im Leben gesehen haben sollte, wie ich finde. Ich werde nie den Moment vergessen, als die Stadt auf der lustigen Fahrt mit dem Wassertaxi vom Flughafen kommend das erste Mal in meinem Sichtfeld auftauchte. Ich musste mich zwicken, um zu kapieren, dass ich tatsächlich dort war – in Venedig! – und fand es hochgradig bizarr, auf eine im Wasser schwebende Stadt zu blicken. Bei meinen Eltern zuhause hing ein Gemälde von Venedig, das ich früher stundenlang anstarrte, nun durfte ich endlich alles mit eigenen Augen bestaunen!

Italien im Juli heißt: viele – und ich meine VIELE – Touristen, daher war auch Venedig voller Menschen, aber es war trotzdem herrlich, den Gondoliere in ihren gestreiften Oberteilen zuzusehen, wie sie ihre Gondeln die Kanäle hinunterlenkten und Touristen beförderten, die alles knipsten, was ihnen vor die Linse geriet. Ich hatte beschlossen, mir auf dieser Reise ein bisschen was zu gönnen und hatte ein Zimmer in einem der schönsten Hotels dieser märchenhaften Stadt gebucht: im berühmten Gritti Palace. Es war himmlisch und bot einen romantischen Ausblick auf den Canale Grande und über das Wasser hinüber auf die Kirche Santa Maria della Salute. Das Abendessen bei Kerzenlicht wird mir noch lange in bester Erinnerung bleiben.

Nächster Halt: Bologna. Eine unglaubliche Stadt, die von Reisenden leider häufig übergangen wird. Anfangs war ich eher unbeeindruckt, aber kaum brach die Nacht an, erwachte die Universitätsstadt zum Leben. Ich war verzaubert! Die Stadt ist nicht halb so touristisch (und teuer) wie Venedig, und hat auf mich sehr relaxed gewirkt. Ich entschied mich für eine Food-Tour, um die Stadt – die Heimat des »ragù alla bolognese« – von ihrer besten Seite kennenzulernen.

Nach dem eher unsanften Erwachen um 6 Uhr früh (und das in meinen Ferien!) wurde ich am Hotel abgeholt und stieß zu der Gruppe, mit der ich einen unglaublichen Tag verbrachte: in einer Parmesanfabrik, einer Schinkenmanufaktur und – am allerbesten, weil ich das Gebräu so sehr liebe – in einem Geschäft eines in Modena ansässigen Balsamico-Familienbetriebs. Das war das Highlight meiner Reise und brachte mich sogar dazu, einige hundert Dollar für eine hundert Jahre alte Flasche lockerzumachen, die ich zuhause zu ganz besonderen Abendessen hervorhole. Ich erfuhr dort, dass die meisten milden Essige unter dem Namen »Aceto balsamico« – sogar die, die man für über 100 $ in Feinkostgeschäften findet – genau genommen keine Originale sind. Der Begriff nämlich geht mit einer strengen Ursprungsbezeichnung einher: Aceto balsamico muss aus der italienischen Provinz Modena stammen, bestimmte Inhaltsstoffe aufweisen und einem speziellen Herstellungsverfahren folgen. Der Begriff »Balsamessig« steht mittlerweile schon auf viel zu vielen Nachahmerprodukten. Wenn Sie das italienische Originalprodukt kaufen möchten, achten Sie auf die Bezeichnung »Aceto Balsamico Tradizionale di Modena«.

Die Tour wurde von einem Ehepaar organisiert: Alessandro, der Gastgeber, war mit überbordender Leidenschaft, großer Sachkenntnis und viel Witz bei der Sache. Er führte uns fachmännisch durch einen randvoll gepackten, aber dennoch entspannten Tag, dessen Höhepunkt das große Mittagessen mit der ganzen Gruppe war. Glaub mir: eine Food-Tour ist ein Muss, wenn man diese Region besucht.

Bitte umblättern ...

Als Nächstes ging die Reise weiter nach Capri und an die Amalfiküste, einem Ort, von dem ich schon viel gehört, den ich aber noch nie gesehen hatte. Nach der schnellsten und furchteinflößendsten Zugfahrt/Raketenreise meines Lebens (kein Witz – ich glaube, an einer Stelle erreichten wir 400 km pro Stunde) fand ich mich in Neapel in all seiner verrückten Pracht wieder. Zu meinem großen Bedauern dauerte der Aufenthalt nur ein paar Stunden (ich werde mit der Kamera im Anschlag wiederkommen, die fotografischen Verlockungen sind einfach zu groß), da es gleich weiter auf die Fähre nach Capri ging.

O. Mein. Gott. Hat jemand Paradies gesagt? Capri ist atemberaubend! Ich kam mir wie in einem James-Bond-Film vor: so farbenfroh und unglaublich schön. Ich fuhr mit der Seilbahn den Berg hinauf zur Piazza Umberto, dem kleinen Marktplatz inmitten des historischen Zentrums von Capri. Hier wimmelte es von Menschen (alle in obligatorisches Weiß gekleidet), da schob sich eine glamouröse Hochzeitsgesellschaft ins Blickfeld und ich war wie gebannt von so viel Schönheit. Ich folgte dem Weg nach oben, auf engen, von weißen Mauern flankierten Sträßchen, vorbei an riesigen Capri-Zitronen, die in Bündeln vor den Läden hingen, und gelangte schließlich zu meinem Hotel, in dem ich die folgenden beiden Nächte verbringen sollte: das mega-stylische Capri »Tiberio Palace«. Es war sehr schick und der Grund dafür, dass ich momentan total von handbemalten gemusterten Fliesen besessen bin – sie zierten den Balkon meines Hotelzimmers! Etwas weiter entfernt entdeckte ich das ruhigere und noch schönere Anacapri, mein persönlicher Favorit auf der kleinen Insel. Der Traum jedes Fotografen mit seinen üppig die weiß gekalkten Mauern hinunterwallenden, intensiv pink und violett leuchtenden Bougainvillea-Blüten.

Von all den wunderbaren Orten, die ich auf meiner Reise besucht habe, gab es einen Ort, der sich von allen anderen abhob: Positano, das unglaublich pittoreske Dörfchen, das sich in die Bucht von Neapel schmiegt und dessen Häuser aussehen, als seien sie der Rundung des Berghangs folgend kreuz und quer übereinander in die Höhe gestapelt. Ich habe dort eine Kanadierin kennengelernt, die mir erzählte, sie käme seit nunmehr zwölf Jahren jedes Jahr hierher, was ich sehr gut verstehen kann. Schon auf der Fähre von Capri nach Positano habe ich sicher 1 985 Fotos von unserer Einfahrt in den Hafen geschossen. Noch nie in meinem Leben habe ich etwas von derartiger Schönheit gesehen. Die unterschiedlichen, intensiv leuchtenden Farben der eng beieinanderstehenden Häuser sind unvergleichlich.

Orte, an denen übernachtet habe, und interessante Webseiten:

thegrittipalace.com
italiandays.it
capritiberiopalace.it
palazzoravizza.it
sirenuse.it

LA MELAGRANA
CERAMICHE S. RUBINO ANACAPRI
ML 46

CartaSi
VISA
VISA
BALSAMIC
VINEGAR
TASTING
AGLIO
VENDITA A MAZZI
1,90
DELLA VALLE DEL PANARO
CILIEGINI
€ 4,80
F.lli lapietra
F.lli lapietra
F.lli lapietra

POSITANO

2SA 725

GEM

ÜSE

WET GARLIC
£2.00/BUNCH
SPRING ONIONS
£2.00/BUNCH
www.daylesfordorganic.com
Wye Valley
White
£4.99/BUNCH

BLUMENKOHL IN WÜRZIGER KÄSESAUCE MIT KNUSPERKRUSTE

Ein tolles vegetarisches Gericht für ein Abendessen – schmeckt wunderbar mit knusprigem Brot, einem grünen Blattsalat und einem Glas kräftigem Rotwein.

1 Blumenkohl, geputzt und in Röschen geteilt
1 TL Kreuzkümmelsamen
1 TL Koriandersamen
1 EL schwarzer Sesam
1 EL heller Sesam
2 EL Chiasamen
2 EL Olivenöl

150 g grobe Semmelbrösel, vermischt mit wenig Olivenöl
1 Handvoll sehr fein gehackte glatte Petersilie
80 g geriebener Cheddar
Meersalz und frisch gemahlener schwarzer Pfeffer

KÄSESAUCE
75 g Butter
60 g Mehl
850 g Milch
170 g geriebener Cheddar
Meersalz und frisch gemahlener weißer Pfeffer

Für 2 Personen als Hauptgericht, für 6 Personen als Beilage

Den Backofen auf 180 °C Umluft vorheizen.

Den Blumenkohl in eine große Kasserolle mit Wasser legen und dieses bei hoher Temperatur zum Kochen bringen. Dann bei mittlerer Temperatur 5–10 Min. leise köcheln, bis ein Messer ohne spürbaren Widerstand in einen Blumenkohlstrunk gestochen werden kann. Gut abtropfen lassen und zum Abkühlen beiseitestellen.

Die Kreuzkümmel- und Koriandersamen bei mittlerer Temperatur in einer kleinen Pfanne auf dem Herd erhitzen und 1–2 Min. anrösten. Im Mörser zu einem feinen Pulver mahlen, dann zusammen mit dem Sesam und der Hälfte der Chiasamen in eine mittelgroße Auflaufform geben. Salz und Pfeffer hinzufügen, dann das Olivenöl und die Blumenkohlröschen zugeben und alles vermischen, sodass der Blumenkohl mit der Gewürz- und Samenmischung überzogen ist.

Für die Käsesauce die Butter in einer großen Kasserolle bei mittlerer Temperatur zerlassen. Das Mehl hinzufügen und mit einem Schneebesen zu einer dicken Paste verrühren. Bei niedriger bis mittlerer Temperatur nach und nach in kleinen Portionen die Milch zugießen, dabei nach jeder Zugabe sorgfältig mit dem Schneebesen schlagen, damit sich keine Klümpchen bilden. Den Käse hinzufügen und rühren, bis er geschmolzen ist und sich mit den anderen Zutaten verbunden hat, dann kräftig mit Salz und Pfeffer abschmecken und den Blumenkohl in der Auflaufform damit übergießen.

Die Semmelbrösel mit der Petersilie, den restlichen Chiasamen und 40 g des Käses in einer Schüssel vermischen und dann über dem Blumenkohl verteilen. Mit dem restlichen Käse bestreuen, salzen und pfeffern. Vorsicht, der Käse ist schon recht salzig. Im Ofen 20–25 überbacken, bis der Blumenkohl an der Oberfläche goldbraun und knusprig geworden ist. Heiß servieren.

STAMPFKARTOFFELN MIT ROSMARIN

Einfach zubereitet und immer schnell verdrückt: Ich empfehle, gleich die doppelte Menge zu machen, da die Kartoffeln in Nullkommanichts verschwunden sein werden. Sie passen sehr gut zu den Lammkoteletts auf Seite 106 und, ehrlich gesagt, eigentlich auch zu fast allem anderen.

1,5 kg kleine Kartoffeln mit Schale, gebürstet, größere Exemplare quer halbiert
125 ml Reiskeimöl
4 Rosmarinzweige, Nadeln abgestreift
Meersalz und frisch gemahlener schwarzer Pfeffer

Für 4 Portionen als Beilage

Den Backofen auf 190 °C Umluft vorheizen.

Die Kartoffeln in eine große Kasserolle mit kochendem Salzwasser legen und zum Kochen bringen. Dann bei mittlerer Temperatur 6–7 Min. köcheln, bis die Kartoffeln gerade weich zu werden beginnen, im Kern aber noch fest sind.

In der Zwischenzeit das Öl in einen großen beschichteten Bräter gießen und 6–7 Min. zum Erwärmen in den Backofen stellen.

Die Kartoffeln gut abtropfen lassen und vorsichtig in den Bräter legen. Mit den Rosmarinnadeln bestreuen und 20 Min. im Ofen rösten.

Den Bräter aus dem Ofen nehmen und die Kartoffeln einzeln mit einem Löffelrücken oder einem Kartoffelstampfer minimal zerdrücken. Mit etwas Meersalz bestreuen, dann den Bräter für weitere 25–30 Min. zurück in den Ofen stellen, bis die Kartoffeln goldbraun und superknusprig geworden sind. Mit Pfeffer würzen und sofort servieren.

NAKED
ROLLER

SELLERIE-KARTOFFEL-GRATIN

Du suchst das beste *Comfort Food* der Welt?
Hiermit hast du ihn gefunden! Okay, in diese superengen *Skinny Jeans* passt du bei wiederholtem Genuss vielleicht nicht mehr rein, aber das ist dir bereits beim ersten Bissen dieses überirdisch guten Gratins total egal. Ich bereite es regelmäßig für große, gemütliche Abendessen zu, meist zu Lammbraten. Ich verwende eine Mandoline, um die Kartoffeln und den Sellerie in sehr dünne Scheiben zu hobeln.

600 g Sahne
1 gehäufter TL scharfer Senf
1 kg Kartoffeln, geschält und in sehr dünne Scheiben gehobelt
500 g Knollensellerie, großzügig geschält und in sehr dünne Scheiben gehobelt
3 große Knoblauchzehen, in sehr dünne Scheiben geschnitten
60 g Butter
5–10 zarte Rosmarinzweigspitzen
200 g Gruyère, grob gerieben, zzgl. 1 Handvoll zum Bestreuen
Meersalz und frisch gemahlener schwarzer Pfeffer

Für 6 Portionen als Beilage

Den Backofen auf 180 °C Umluft vorheizen.

Mit einem Schneebesen die Sahne mit dem Senf in einem Rührbecher verquirlen.

Ein Viertel der in Scheiben gehobelten Kartoffeln in einer großen Auflaufform in einer Lage verteilen, dabei die Scheiben ordentlich einander überlappend schichten. Mit einem Viertel der Selleriescheiben belegen, einige Knoblauchscheibchen und ein Viertel der Butter (etwa 1 EL) in Flöckchen darauf verteilen. Mit Salz und Pfeffer würzen. Mit einem Viertel der Sahnemischung übergießen, mit ein paar Rosmarinnadeln und einem Viertel des geriebenen Käses bestreuen. Diesen Vorgang dreimal wiederholen, bis alle Zutaten aufgebraucht sind.

Zum Schluss das Gratin mit der Extraportion Gruyère und den restlichen Rosmarinnadeln bestreuen und 45–50 Min. im Ofen backen, bis die Kartoffeln und der Sellerie durchgegart sind und das Gratin blubbert und eine appetitlich goldbraune Färbung angenommen hat.

GEMÜSESALAT MIT ZIEGENKÄSE UND HASELNÜSSEN

Ein farbenfroher Salat mit reizvoll kontrastierenden Konsistenzen, der auch optisch viel zu bieten hat. Anstelle von Ziegenkäse kannst du nach Belieben auch Feta verwenden.

je 1 Bund Baby-Rote-Bete und Baby-Gelbe-Bete (ca. 6 Rübchen pro Bund), Stängel auf ca. 2 cm gekürzt
1 Bund Babykarotten, Karottengrün auf ca. 2 cm gekürzt,
unter fließendem Wasser abgebürstet und längs halbiert (kleinere Exemplare ganz lassen)
1 EL trockener Weißwein
2 TL Butter
2 Thymianzweige, Blättchen abgestreift, zzgl. einige Zweige zum Garnieren
150 g Haselnüsse
200 g grüne Bohnen, geputzt und längs halbiert
200 g Ziegenfrischkäse
1 EL natives Olivenöl extra
1 EL Balsamico
Olivenöl oder Reiskeimöl zum Beträufeln
Meersalz und frisch gemahlener schwarzer Pfeffer

Für 4 Portionen als Beilage

Den Backofen auf 190 °C Umluft vorheizen.

Die Roten und Gelben Beten unter fließendem Wasser abbürsten, mit Küchenpapier trocken tupfen und auf einen großen Bogen Aluminiumfolie legen. Mit Öl beträufeln und mit etwas Salz bestreuen. Die Beten in die Folie wickeln und etwa 45 Min. auf einem Backblech im Ofen garen, bis beim Einstechen mit einem kleinen scharfen Messer kein Widerstand mehr spürbar ist (die Gardauer hängt von der Größe und der Frische der Knollen ab; nach etwa 25 Min. das erste Mal prüfen). Zum Abkühlen beiseitestellen.

In der Zwischenzeit einen Bogen Aluminiumfolie auf einem Backblech ausbreiten und die Karotten darauf verteilen. Mit Öl beträufeln, dann Weißwein, Butter, Thymianblättchen, Salz und Pfeffer hinzufügen. Mit einem zweiten Bogen Aluminiumfolie bedecken, die Ränder durch Umknicken verschließen. Im Ofen 20–25 Min. garen, dann zum Abkühlen beiseitestellen.

Die Haselnüsse auf einem Backblech verteilen und 6–8 Min. goldbraun rösten. Die heißen Nüsse in ein sauberes Geschirrtuch wickeln und die Häute damit abrubbeln. Abkühlen lassen, im Mörser grob zerstoßen und beiseitestellen.

Die Bohnen 1–2 Min. in einer Kasserolle mit Salzwasser bissfest garen, abgießen und beiseitestellen. Die Beten schälen, halbieren und zusammen mit den Karotten, den Bohnen und dem Ziegenfrischkäse in eine große Schüssel geben. Mit den Haselnüssen bestreuen und mit Thymianzweigen garnieren.

Das Öl mit dem Essig aufschlagen und über den Salat träufeln, dann salzen, pfeffern und servieren.

KATIES KARTOFFELPÜREE NACH PARISER ART

Auch mein erstes Buch enthielt ein Rezept für Kartoffelpüree, dieses Rezept hier bereite ich jedoch mittlerweile lieber zu. Für ein seidig glattes Püree benötigst du eine Kartoffelpresse und ein Passiersieb, wobei ein feinmaschiges Sieb ebenfalls funktioniert. Die Kartoffeln für das Püree müssen ganz weich und im Kern kein bisschen mehr fest sein. Sonst wird es schwierig, das Püree so supercremig und klümpchenfrei hinzubekommen.

1 kg mehligkochende Kartoffeln, mit Schale
250 g Sahne
60 ml Milch
200 g Butter zzgl. 1 walnussgroßes Stück zum Servieren
Meersalz und frisch gemahlener weißer Pfeffer

Für 4–6 Portionen als Beilage

Die Kartoffeln in einer großen Kasserolle mit Salzwasser zum Kochen bringen. Dann bei mittlerer Temperatur 30–40 Min. kochen, bis beim Einstechen mit einem kleinen scharfen Messer in der Mitte kein Widerstand mehr spürbar ist.

Abgießen, dann 2 Min. abdampfen lassen und pellen (dabei die Hände mit einem sauberen Geschirrtuch oder Haushaltshandschuhen schützen). Die Kartoffeln zurück in die trockene Kasserolle geben und 1–2 Min. bei niedriger Temperatur erwärmen, dabei gelegentlich umrühren, damit noch vorhandene Feuchtigkeit verdampfen kann.

Sahne und Milch in einer kleinen Kasserolle bei niedriger Temperatur erhitzen – sie soll jedoch nicht kochen.

Mit einem Kartoffelstampfer die Kartoffeln grob zerdrücken. Durch die feinste Lochung der Kartoffelpresse drücken und das Püree dann mithilfe eines Löffelrückens durch ein feines Passiersieb streichen. Wenn das Püree homogen und völlig klümpchenfrei ist, zurück in den Topf geben, bei niedriger Temperatur erwärmen, dann die heiße Sahne zugießen und mit einem Holzlöffel leicht aufschlagen. Die Butter hinzufügen und leicht unterschlagen, bis sie geschmolzen und das Püree sehr heiß ist.

Mit Salz und 1 großzügigen Prise weißem Pfeffer abschmecken, dann nach Belieben nochmals ein walnussgroßes Stück Butter darauf zerlassen und servieren.

№. 168

SÜẞKARTOFFEL-BLUMENKOHL-CURRY

Ein wunderbar wärmendes und herzhaftes vegetarisches Gericht mit moderat pikanter Note. Halte in Asialäden nach malaysischem Currypulver Ausschau – für das berühmte Tüpfelchen auf dem i!

1 TL Fenchelsamen
1 TL Koriandersamen
1 TL Kreuzkümmelsamen
½ TL gemahlene Kurkuma
1 TL malaysisches Currypulver
2 EL Olivenöl oder Reiskeimöl
1 Zwiebel, fein gehackt
4 große Knoblauchzehen, fein gehackt
1 lange rote Chilischote, Samen entfernt, fein gehackt
2 EL Tomatenmark
2 Dosen (à 400 g) stückige Tomaten
500 ml Gemüsefond
750 g Süßkartoffeln, geschält und in 2 cm große Würfel geschnitten
½ Blumenkohl, geputzt und in Röschen geteilt
2 Dosen (à 400 g) braune Linsen ohne Suppengrün, abgespült und abgetropft
150 g Cashewkerne, geröstet und grob gehackt
Meersalz und frisch gemahlener schwarzer Pfeffer

gedämpfter Naturreis, Naturjoghurt und frischer Koriander zum Servieren

Für 6 Personen

Die Fenchel-, Koriander- und Kreuzkümmelsamen in einer beschichteten Pfanne 1–2 Min. bei mittlerer Temperatur unter Rühren ohne Fett rösten, bis sie zu duften beginnen. Dann in einen Mörser geben, Kurkuma, Currypulver, 1 große Prise Salz und Pfeffer hinzufügen und mit dem Stößel zu feinem Pulver mahlen.

Das Olivenöl bei mittlerer Temperatur in einer großen Kasserolle mit schwerem Boden erhitzen. Die Zwiebel und 1 Prise Salz hineingeben und 3–4 Min. unter häufigem Rühren anbraten, bis die Zwiebel weich ist. Den Knoblauch hinzu-fügen und 3 Min. braten, dabei häufig umrühren, damit nichts anbrennt.
Die Gewürzmischung und die Chili unterrühren und 2–3 Min. erhitzen, dann das Tomatenmark, die Tomaten und den Fond hinzufügen.
Die Süßkartoffelwürfel zugeben und bei hoher Temperatur aufkochen.
Die Temperatur reduzieren, den Deckel auflegen und 25–30 Min. köcheln, bis die Süßkartoffeln gerade eben weich sind.

Die Blumenkohlröschen hinzufügen, umrühren und weitere 8 Min. garen, dann die Linsen zugeben und erhitzen, bis alles gleichmäßig heiß ist.

Mit Salz und Pfeffer abschmecken und kochend heiß servieren. Cashewkerne, Reis, Naturjoghurt und Koriander separat dazu reichen.

№. 170

PILZ-PEKANNUSS-RISOTTO MIT ZIEGENKÄSE

Ich liebe es, Risottos zuzubereiten! Sie eignen sich hervorragend für Abendgesellschaften, da sie sich gut teilweise vorkochen und dann kurz vor dem Servieren mit ein paar Suppenkellen heißem Fond fertigstellen lassen.

2 EL Butter
400 g braune Champignons, geviertelt
Blättchen von 3 Thymianzweigen
60 g Pekannusskerne, längs halbiert
1,25 l Gemüsefond
1 EL Olivenöl
1 Zwiebel, fein gehackt
3 Knoblauchzehen, fein gehackt
400 g Arborio-Reis
250 ml trockener Weißwein
120 g Ziegenfrischkäse
80 g fein geriebener Parmesan zzgl. etwas zum Bestreuen (optional)
Saft von 1 kleinen Zitrone
60 g Rucola, grob gehackt
Mikro-Kräuter zum Garnieren (optional)
Meersalz und frisch gemahlener schwarzer Pfeffer

Für 6–8 Portionen

Die Butter in einer Pfanne zerlassen. Die Pilze darin 2 Min. anbraten, bis sie gerade eben zu bräunen beginnen, dann den Thymian hinzufügen und 1–2 Min. unter häufigem Rühren mitbraten. Die Pfanne vom Herd nehmen und beiseitestellen.

Den Backofen auf 180 °C Umluft vorheizen. Ein Backblech mit Backpapier auslegen.

Die Pekannüsse auf dem vorbereiteten Backblech verteilen und 6–7 Min. rösten, bis sie leicht gebräunt sind, dann aus dem Ofen nehmen und beiseitestellen.

Den Fond in einer Kasserolle bei mittlerer Temperatur aufkochen. Dann die Temperatur reduzieren, den Deckel auflegen und bis zur Verwendung warm halten.

Inzwischen das Öl in einer großen Kasserolle mit schwerem Boden oder in einer hitzefesten Auflaufform bei mittlerer Temperatur erhitzen. Die Zwiebel darin unter häufigem Rühren 4–5 Min. anbraten, bis sie weich ist, dann den Knoblauch hinzufügen und unter häufigem Rühren 3–4 Min. anbraten, bis er sich hell goldgelb färbt.

Den Reis zugeben und 1–2 Min. rühren, bis er fettig glänzt und leicht angeröstet ist. Den Wein zugießen und eventuellen Ansatz vom Pfannenboden loskochen, dann 1 Min. köcheln.

Bei niedriger bis mittlerer Temperatur den heißen Fond suppenkellenweise hinzufügen, dabei nach jeder Zugabe rühren, bis die Flüssigkeit fast vollständig vom Reis aufgenommen wurde, erst dann neuen Fond zugießen. So lange wiederholen, bis der Fond aufgebraucht und der Reis bissfest ist (was etwa 20 Min. dauern sollte), dabei ständig rühren und darauf achten, dass der Reis nicht austrocknet (falls der Fond aufgebraucht sein sollte, kannst du Wasser nachgießen).

Die Pilze, Pekannüsse, Ziegenkäse, Parmesan, Zitronensaft und Rucola zugeben und unterrühren. Mit Salz und Pfeffer abschmecken und nach Belieben mit der Extraportion Parmesan und den Mikro-Kräutern servieren.

AULDIN
OLIVE

DREIERLEI BOHNEN MIT KARTOFFELKRUSTE

Falls du keinen ofenfesten Bräter besitzt, kannst du die Füllung auch in einem großen Topf zubereiten und sie vor dem Backen in eine leicht eingefettete Auflaufform mit 2,5 l Inhalt umfüllen.

1 EL Olivenöl
1 Zwiebel, fein gehackt
3 große Knoblauchzehen, fein gehackt
1 Karotte, fein gehackt
2 Selleriestangen, fein gehackt
1 Lauchstange, nur der weiße Teil, geputzt, gewaschen und in dünne Ringe geschnitten
1 lange rote Chilischote, Samen entfernt, fein gewürfelt
1 TL Pimenton (geräuchertes Paprikapulver)
1 EL Tomatenmark
60 ml Rotwein 250 ml Gemüsefond
je 1 Handvoll Basilikum- und Oreganoblätter, klein gezupft
750 g Süßkartoffeln, geschält und in 3 cm dicke Würfel geschnitten
500 g mehligkochende Kartoffeln, in 3 cm dicke Würfel geschnitten
2 EL Butter 60 g Sahne
1 Dose (400 g) Adzukibohnen, abgespült und abgetropft
1 Dose (400 g) Borlottibohnen, abgespült und abgetropft
1 Dose (400 g) Kidneybohnen, abgespült und abgetropft
200 g Babyspinat
80 g fein geriebener Parmesan
Meersalz und frisch gemahlener schwarzer Pfeffer

geröstete Kürbiskerne und
fein geriebener Parmesan zum Servieren

Für 6 Portionen

Das Öl in einem großen ofenfesten Bräter bei mittlerer Temperatur erhitzen. Die Zwiebel und den Knoblauch darin 4–5 Min. unter häufigem Rühren anbraten, bis sie weich sind. Die Karotte, den Sellerie, Lauch und Chili hinzufügen und unter häufigem Rühren 4–5 Min. braten, bis das Gemüse weich wird. Pimenton und Tomatenmark unterrühren, dann Rotwein, Fond und frische Kräuter hinzufügen, mit Salz und Pfeffer abschmecken und 15–20 Min. bei niedriger bis mittlerer Temperatur köcheln, bis die Sauce leicht eingedickt ist.

Den Backofen auf 180 °C Umluft vorheizen.

Die Süßkartoffeln und die Kartoffeln in einer großen Kasserolle mit Salzwasser aufkochen, dann bei mittlerer Temperatur 12–15 Min. garen, bis beim Einstechen mit einem Messer kein Widerstand mehr spürbar ist. Gut abtropfen lassen, dann zurück in die Kasserolle geben und zu Püree zerdrücken. Butter und Sahne zugeben und gründlich unterrühren, dann mit Salz und Pfeffer abschmecken, den Deckel auflegen und beiseitestellen.

Alle Bohnen und den Babyspinat in den Bräter (oder jetzt alles in eine Auflaufform füllen) geben und unter in die Gemüsemischung rühren. Etwa 2 Min. leise köcheln lassen, bis der Spinat zusammengefallen ist und die Bohnen vollständig erwärmt sind, dabei regelmäßig umrühren. Mit Salz und Pfeffer abschmecken, dann das Püree darauf verteilen und die Oberfläche mit einer Gabel auflockern. Mit dem Parmesan bestreuen und im Backofen 20–25 Min. backen, bis die Oberfläche appetitlich goldbraun ist.

Mit den gerösteten Kürbiskernen sowie geriebenem Parmesan bestreuen und kochend heiß servieren.

BABY-AUBERGINE MIT HARISSA UND KNOBLAUCH

Supereinfach, superschnell und superlecker!
Diese Geschmacksexplosionen im Miniformat sind eine fantastische Beilage (besonders zu Lamm) oder ein prima Amuse-Gueule.

1½ TL Harissa (scharfe Gewürzpaste)
2 EL Olivenöl
2 große Knoblauchzehen, fein gehackt
500 g Baby-Auberginen, in dicke Scheiben geschnitten
1 Handvoll frische Minzeblätter, fein gehackt
Meersalz und frisch gemahlener schwarzer Pfeffer

Für 4–6 Portionen als Beilage

Den Backofen auf 180 °C Umluft vorheizen.
Ein Backblech mit Backpapier auslegen.

Die Harissa mit Öl und Knoblauch in einer flachen Schüssel verrühren. Die Auberginenscheiben darin wenden, bis sie rundum ölig glänzen, dann auf dem vorbereiteten Backblech verteilen.

Kräftig salzen und 20–25 Min. im Ofen schmoren, bis sie gar sind. Vor dem Servieren mit der gehackten Minze bestreuen und mit dem schwarzen Pfeffer übermahlen.

QUESADILLAS MIT PILZEN UND KARAMELLISIERTEN ZWIEBELN

Quesadillas sind perfekt für zwanglose Treffen. Ich bereite gern eine Auswahl an unterschiedlichen Füllungen vor und lasse meine Gäste die Quesadillas dann selbst zusammenstellen. Danach wandern die Arrangements nur noch kurz zum Aufwärmen in die Pfanne.

2 EL Olivenöl
2 Zwiebeln, in Ringe geschnitten
3 TL dunkelbrauner Zucker
80 ml Balsamico
2 EL Butter
3 große Knoblauchzehen, fein gehackt
4 Riesenchampignons (Portobellos) oder andere große flache Pilze, in dünne Scheiben geschnitten
Blättchen von 3 Thymianzweigen
8 Tortillas aus Weizen- oder Weizenvollkornmehl
200 g Cheddar, gerieben
1 Handvoll Baby-Rucola, grob gehackt

Sauerrahm und Zitronenspalten zum Servieren

Für 4 Portionen

Die Hälfte des Öls bei niedriger Temperatur in einer Pfanne mit schwerem Boden erhitzen. Die Zwiebeln darin 10–12 Min. unter Rühren braten, bis sie weich sind. Den Zucker und den Essig hinzufügen und unter Rühren etwa 7 Min. erhitzen, bis die Zwiebeln karamellisiert sind und die Flüssigkeit eingekocht ist. Die Zwiebelmischung in eine Schüssel umfüllen und die Pfanne mit Küchenpapier auswischen.

Die Butter und das restliche Öl bei mittlerer Temperatur in der Pfanne erhitzen. Knoblauch, Pilze und Thymian darin 3–4 Min. unter häufigem Rühren anbraten, bis die Pilze weich sind. Die Pfanne vom Herd nehmen und beiseitestellen.

Eine Grillpfanne oder eine große beschichtete Pfanne bei mittlerer bis hoher Temperatur erhitzen. Die Tortillas einzeln 1 Min. pro Seite erhitzen, dann auf einen Teller legen und beiseitestellen.

Die Hälfte der Tortillas mit der gebräunten Seite nach oben auf eine saubere Fläche legen. Die Zwiebelmischung, die Pilzmischung, den geriebenen Käse und den Rucola gleichmäßig darauf verteilen, dann die übrigen Tortillas mit der gebräunten Seite nach unten auflegen.

Die Pfanne erneut bei mittlerer bis hoher Temperatur erhitzen. Eine Quesadilla hineinlegen und 1–2 Min. erwärmen, bis sie angeröstet ist, dann vorsichtig mit einem Pfannenwender umdrehen und nochmals 1 Min. rösten. Auf einen Teller legen und warm stellen. Die restlichen Quesadillas auf dieselbe Weise fertigstellen.

In Viertel schneiden und warm mit Sauerrahm und Zitronenspalten servieren.

INSPIRED BY A MEAL ENJOYED IN NEW YORK

BELINDA
ANGELA
KATISCHE
LOUISE
ANGE
PHILLIPA

Mit am erstaunlichsten, seit ich meinen Blog *whatkatieate.com* betreibe, finde ich die Tatsache, dass ich dabei so viele interessante Leute kennengelernt habe. Ich bin immer sehr neugierig, was für eine Art Mensch das wohl sein mag, der meinem Blog folgt, und ich kann – ganz ehrlich! – sagen, dass jeder einzelne, den ich bislang getroffen habe, ein richtiger Schatz ist. Im November 2012 habe ich einen Beitrag für das Magazin *delicious.* fotografiert: Lunch mit einer Gruppe meiner Blog-Leser. Es war eine meiner schönsten Fotosessions überhaupt. Als ich mich entschied, für dieses Buch etwas Ähnliches zu organisieren, startete ich bei meinen Lesern einen Aufruf, wer denn gern an so etwas teilnehmen würde. Ich wurde von der Welle der Zusagen völlig überrollt, und auch wenn ich wahnsinnig gern eine Party für über 40 (!) Mädels geschmissen hätte, musste ich mich doch auf überschaubare neun beschränken.

JESS

PETA

Lunch mit den Mädels

Der Tag war ein Highlight! Als ich mit meinen Assistenten Lou und Madeleine im Studio ankam, trafen wir dort auf neun extrem kommunikative, absolut tolle und total entspannte junge Frauen, die bereits begeistert miteinander ins Gespräch gekommen waren. Und alle waren so unglaublich nett und herzlich. Es war ganz erstaunlich zu sehen, wie gut sie sich verstanden – ich denke, an diesem Tag wurden Freundschaften fürs Leben geschlossen. Besonders gerührt war ich, Katische wiederzusehen, die ich im Rahmen einer Veranstaltung an Weihnachten kennengelernt hatte. Sie war extra aus Perth hergeflogen, nur um dabei zu sein – Wahnsinn! Ich hoffe sehr, alle Mädels bald wiederzusehen, dann aber ohne das hektische Kochen, Stylen und Fotografieren, dann gehen wir einfach alle auf einen Drink aus.

Nochmals ein großes Dankeschön an Ange, Angela, Belinda, Dara, Jess, Katische, Louise, Peta (und ihren Göttergatten, der an diesem Tag als GENIALER Spüler und superhilfreiches „Mädchen-für-Alles" brillierte) und Phillipa.

CAYOL FRERES OLLIOULES

MENU

Granatapfel-Hähnchen seite 97

Kräuter-Bulgur mit halb getrockneten Tomaten seite 49

Lammkoteletts mit indischen Gewürzen seite 106

Super-Schoko-Brownies mit Salzkaramell und Kirschen seite 283

Himbeer-Granatapfel-„Martinis" seite 246

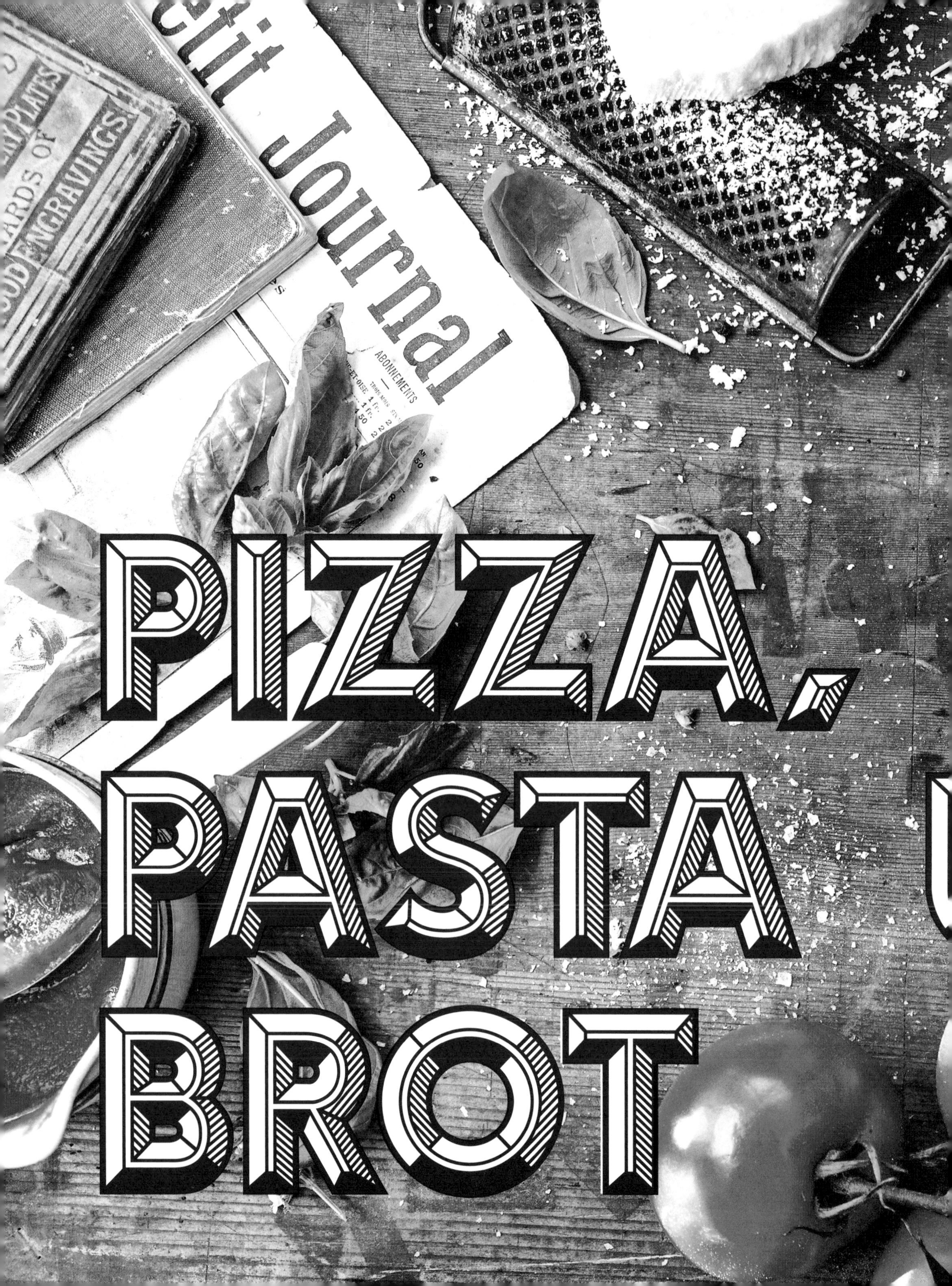
PIZZA,
PASTA
BROT

UND

POLLERIA
RISTORANTE CINESE
PERLA D'ORIENTE

PASTI
LEON
NAPOLI
Made in Italy
TRINA IN
ALLESTIMETO
PASTA DI SEMOLA
CONCHIG
VEGETAL
LEONESA
Pasta artigianale secon
in uso nella città d
Trafilatura a
Essiccatura statica, lenta a
11 10 20
720
Tortelloni
di Ricotta

TOMATEN-ZUCCHINIBLÜTEN-PIZZA MIT SALAMI

Eine hübsch anzusehende, sommerliche Pizza. Den Pizzateig kannst du gut im Voraus zubereiten – fest in Frischhaltefolie eingewickelt hält er sich zwei Tage im Kühlschrank oder einen Monat im Gefrierfach.

8 Scheiben Provolone
20 dünne Scheiben pikante Salami
10 Baby-Zucchini mit Blüten, die Zucchini in dünne Scheiben geschnitten, die Blüten längs halbiert, die Staubgefäße entfernt
250 g Mini-Rispentomaten

PIZZATEIG

400 g Weizenmehl Type 550 (Brotmehl)
1 TL Trockenhefe
2 EL natives Olivenöl extra
feines Salz

PIZZASAUCE

Olivenöl zum Anbraten
1 kleine Zwiebel, fein gehackt
3 Knoblauchzehen, fein gehackt
1 Dose (400 g) stückige Tomaten
250 g passierte Tomaten
1 Prise Chiliflocken
1 Prise Zucker
10 große Basilikumblätter, zerzupft
Meersalz und frisch gemahlener schwarzer Pfeffer

gerebelter Oregano, frisch gemahlener schwarzer Pfeffer und natives Olivenöl extra zum Servieren

Ergibt 2 Pizzas von 32 cm Ø (für 4 Portionen)

Für den Pizzateig das Mehl in eine große Schüssel sieben. In die Mitte eine Mulde drücken, dann 1 Prise Salz mit der Hefe, dem Öl und 200 ml lauwarmem Wasser hineingeben. Mit einem Schneebesen verrühren, dabei immer ein bisschen mehr Mehl von außen hinzunehmen, bis der Schneebesen nicht mehr greift. Mit sauberen Händen die Mischung zu einem Teig verkneten und auf die bemehlte Arbeitsfläche geben. Den Teig 5 Min. kräftig durchkneten, dabei immer wieder auseinanderziehen. (Alternativ in der Küchenmaschine alle Zutaten bei mittlerer Geschwindigkeit verkneten, bis sie sich zu einem Teig verbunden haben, dann nochmals 5 Min. bei niedriger Geschwindigkeit weiterkneten.)

Den Teig in eine Schüssel legen, mit einem feuchten Geschirrtuch abdecken und etwa 1 Std. an einem warmen Ort gehen lassen, bis sich sein Volumen verdoppelt hat.

Inzwischen die Sauce zubereiten. Dazu 1 EL Öl bei niedriger Temperatur in einer Kasserolle erhitzen, dann die Zwiebel und den Knoblauch darin unter häufigem Rühren 3–4 Min. anbraten, bis sie weich geworden sind. Die stückigen und die passierten Tomaten, Chiliflocken, Zucker und Basilikum hinzufügen und bei niedriger bis mittlerer Temperatur 15–18 Min. unter häufigem Rühren köcheln, bis die Sauce eingedickt und um etwa ein Drittel eingekocht ist. Mit Salz und Pfeffer abschmecken und beiseitestellen.

Den Backofen auf 240 °C Umluft vorheizen.

Den Teig auf die bemehlte Arbeitsfläche geben und halbieren. Die Stücke jeweils auf ein mit Öl eingefettetes Pizzablech von 32 cm Ø legen und sanft mit den Händen auseinanderziehen, sodass der Teig das Pizzablech vollständig bedeckt. Die Pizzasauce gleichmäßig auf den beiden Teigböden verteilen. Mit dem Käse, der Salami, Zucchinischeiben und -blüten sowie den Tomatenrispen belegen.

Im Ofen 12–15 Min. backen, bis die Teigränder eine appetitlich goldbraune Färbung annehmen. Mit dem Oregano bestreuen, großzügig mit Pfeffer übermahlen und mit nativem Olivenöl extra beträufeln. Sofort servieren.

KATIES PIZZA HAWAII

Ich liebe Pizza. Ich könnte sie jeden Tag essen, vor allem die mit dünnem, knusprigem Boden. Aber ich muss gestehen – und das tue ich hiermit schwarz auf weiß und tatsächlich auch noch in einem Buch, von dem ich hoffe, dass Millionen Menschen es lesen werden –, dass mein Lieblingspizzabelag aus Schinken und Ananas besteht. Wenn ich mit Freunden zu Abend esse, werde ich dafür immer gnadenlos geärgert – deshalb beziehe ich hier stellvertretend für euch Pizza-Hawaii-Fans da draußen tapfer Stellung und präsentiere euch eine „salonfähige Gourmet-Version" des Klassikers, die wir erhobenen Kopfes genießen können.

1 Rezeptmenge Pizzateig (siehe Seite 193)
250 g Büffelmozzarella, in Scheiben geschnitten
8 dünne Scheiben roher Schinken
Olivenöl zum Beträufeln
frisch gemahlener schwarzer Pfeffer

BARBECUE-SAUCE
2 EL Olivenöl
1 kleine rote Zwiebel, fein gehackt
4 Knoblauchzehen, fein gehackt
3 TL Pimenton (geräuchertes Paprikapulver)
1 EL brauner Zucker
1 EL Worcestersoße
500 g passierte Tomaten

ANANAS-SALSA
1 rote Zwiebel, fein gewürfelt
3 Knoblauchzehen, fein gehackt
1 lange grüne Chilischote, Samen entfernt und fein gewürfelt
300 g abgetropfte Ananasstücke aus der Dose, fein gehackt
250 g Tomaten, fein gewürfelt
fein abgeriebene Schale von 1 Bio-Limette
70 g ungesalzene Erdnüsse, fein gehackt
je 1 kleine Handvoll Koriander- und Minzeblätter, fein gehackt
Meersalz und frisch gemahlener schwarzer Pfeffer

Ergibt 2 Pizzas von 32 cm Ø (für 4 Portionen)

Für die Barbecue-Sauce das Öl in einer großen Pfanne bei mittlerer Temperatur erhitzen. Die Zwiebel und den Knoblauch darin 2–3 Min. unter Rühren anbraten, bis sie weich geworden sind. Pimenton und Zucker unterrühren und 1 Min. mitbraten. Die Worcestersauce und die passierten Tomaten hinzufügen und 10–12 Min. unter Rühren köcheln, bis die Sauce um etwa ein Drittel eingekocht ist. Vom Herd nehmen und beiseitestellen.

Für die Ananas-Salsa alle Zutaten in einer Schüssel vermischen. In einem Sieb beiseitestellen, damit überschüssige Flüssigkeit abtropfen kann.

Den Backofen auf 240 °C Umluft vorheizen.

Den Teig auf die bemehlte Arbeitsfläche geben und halbieren. Die Stücke jeweils auf ein mit Öl eingefettetes Pizzablech von 32 cm Ø legen und sanft mit den Händen auseinanderziehen, sodass der Teig das Pizzablech vollständig bedeckt. Die Barbecue-Sauce gleichmäßig auf den beiden Teigböden verteilen. Je ein Drittel der Ananas-Salsa auf den Böden verteilen, den Rest aufbewahren, dann mit dem Mozzarella und dem Schinken belegen und mit Öl beträufeln.

Im Ofen 12–15 Min. backen, bis die Teigränder eine appetitlich goldbraune Färbung annehmen. Großzügig mit schwarzem Pfeffer übermahlen und die übrige Ananas-Salsa separat dazu reichen.

GRÜNE PIZZA MIT PILZEN

Dies ist eins meiner „ganz unauffällig" gesunden Rezepte – die grüne Sauce besteht aus Grünkohl und Walnüssen, der Ziegenkäse kann nach persönlicher Vorliebe durch Hüttenkäse ersetzt werden. Von der Sauce wird etwas übrigbleiben, das man am nächsten Tag perfekt mit frisch gekochter Pasta vermischen kann. Falls du keinen Baby-Grünkohl auftreiben kannst, verwende vom normalen Grünkohl die Innenblätter, entferne die dicke mittlere Blattrippe.

1 Rezeptmenge Pizzateig (siehe Seite 193)
50 g Shiitakepilze
50 g braune Champignons
150 g Ziegenweichkäse, in Scheiben geschnitten
2 EL natives Olivenöl extra
Meersalz und frisch gemahlener schwarzer Pfeffer

geröstete Mandelblättchen und Blätter vom Baby-Grünkohl zum Servieren

GRÜNE SAUCE
50 g Rucola
50 g Baby-Grünkohlblätter
70 g Brokkoliröschen
3 Knoblauchzehen
70 g Mandeln
1 Handvoll Basilikumblätter
50 g geriebener Parmesan
125 ml mildes Olivenöl
1 EL Zitronensaft
Meersalz und frisch gemahlener schwarzer Pfeffer

Ergibt 2 Pizzas von 32 cm Ø (für 4 Portionen)

Für die grüne Sauce alle Zutaten im Mixbehälter der Küchenmaschine fein zerkleinern.

Den Backofen auf 240 °C Umluft vorheizen.

Den Teig auf die bemehlte Arbeitsfläche geben und halbieren. Die Stücke jeweils auf ein mit Öl eingefettetes Pizzablech von 32 cm Ø legen und sanft mit den Händen auseinanderziehen, sodass der Teig das Pizzablech vollständig bedeckt.

Etwa ein Drittel der Sauce gleichmäßig auf je einen Pizzaboden streichen (die restliche grüne Sauce ist in einem luftdichten Behälter im Kühlschrank einen Tag lang haltbar). Die Pilze und den Ziegenkäse auf den Teigböden verteilen, großzügig salzen und pfeffern und mit Öl beträufeln.

Im Ofen 12–15 Min. backen, bis die Teigränder eine appetitlich goldbraune Färbung annehmen. Mit den gerösteten Mandelblättchen und dem Baby-Grünkohl garniert servieren.

SPAGHETTI MIT SPECK, KAPERN UND MINZE

Zu diesem einfachen, aber eleganten Pastagericht haben mich meine Reisen durch Italien inspiriert. Es werden nur wenige Zutaten verwendet und es eignet sich sowohl als Mahlzeit unter der Woche als auch dekorativ auf eine Servierplatte gehäuft im Rahmen einer großangelegten „Raubtierfütterung".

1 EL Olivenöl zzgl. etwas Öl zum Beträufeln
1 Zwiebel, fein gewürfelt
200 g Schinkenwürfel
2 Knoblauchzehen, fein gehackt
500 g Kirschtomaten, halbiert, Saft und Samen herausgedrückt
65 g in Salz eingelegte Kapern, gut abgespült und abgetropft
6 Minzezweige, Blätter abgezupft
400 g Spaghetti
Meersalz

Parmesan, fein gerieben, zum Servieren

Für 4 Personen

Das Öl in einer großen beschichteten Pfanne bei mittlerer Temperatur erhitzen. Die Zwiebel darin 3–4 Min. unter häufigem Rühren anbraten, bis sie weich zu werden beginnt. Die Schinkenwürfel hinzufügen und 4–5 Min. unter häufigem Rühren anbraten, bis sie leicht gebräunt sind. Den Knoblauch zugeben und 30 Sek. unter Rühren anbraten.

Die ausgedrückten Tomatenhälften mit einer kräftigen Prise Salz zugeben, dann bei niedriger bis mittlerer Temperatur 5–6 Min. köcheln. Die Kapern und die Minze hinzufügen, unterrühren und 1–2 Min. erhitzen.

In der Zwischenzeit die Spaghetti nach den Anweisungen auf der Packung kochen. Abgießen, dabei das Kochwasser auffangen, dann die Spaghetti sofort in die Pfanne geben und mit den anderen Zutaten vermischen, dabei je nach Konsistenz etwas vom Kochwasser zugeben. Heiß mit geriebenem Parmesan servieren.

Red
Peppers
3 FOR £1

SPAGHETTI MIT MANDEL-MINZE-BASILIKUM-PESTO

Dieses Pesto ist aufgrund der Zugabe von Minze ein wenig frischer als die traditionelle Version. Reste vom Pesto können 2 Tage im Kühlschrank aufbewahrt werden.

1 Bund Minze, Blätter abgezupft
1 großes Bund Basilikum, Blätter abgezupft
2 Knoblauchzehen, geschält
250 ml natives Olivenöl extra
70 g blanchierte Mandeln
100 g Parmesan, fein gerieben
400 g Spaghetti

natives Olivenöl extra zum Beträufeln
fein geriebener Parmesan zum Servieren

Für 4 Personen

Einige kleine Minzeblättchen zum Garnieren beiseitelegen, die übrige Minze mit Basilikum, Knoblauch, Olivenöl, Mandeln, Parmesan und 1 EL Wasser im Mixbehälter der Küchenmaschine grob zerkleinern – nicht fein pürieren.

Die Spaghetti nach den Anweisungen auf der Packung kochen, dann abgießen – etwas Kochwasser auffangen – und in eine große Schüssel geben.

Nach Belieben einen Großteil des Pesto oder die komplette Menge sowie einige Esslöffel Kochwassers unter die Spaghetti heben. Mit der Extraportion Parmesan bestreuen, mit etwas Olivenöl beträufeln und mit den kleinen Minzeblättchen garnieren.

SPAGHETTI MIT KREBSFLEISCH, ZITRONE UND CHILI

Ich kaufe Krebsfleisch abgepackt, du kannst aber auch einen ganzen Krebs besorgen und das Fleisch selbst auslösen, was jedoch teurer und mit weitaus mehr Küchenchaos verbunden ist. Dieses leichte sommerliche Pastagericht ist ideal für das Wochenende. Mit knusprigem Brot und gut gekühltem Weißwein genießen.

160 ml Olivenöl
140 g frische Semmelbrösel, ersatzweise Weißbrot, Kruste entfernt, fein zerbröselt
fein abgeriebene Schale und Saft von 1 Bio-Zitrone
1 Handvoll glatte Petersilienblätter, fein gehackt
400 g Spaghetti
1 Zwiebel, fein gehackt
3 Knoblauchzehen, fein gehackt
1 lange rote Chilischote, Samen entfernt, fein gehackt
420 g ausgelöstes Krebsfleisch von der Blauen Schwimmkrabbe, faserig gezupft
Meersalz und frisch gemahlener schwarzer Pfeffer

Zitronenspalten zum Servieren

Für 4 Personen

In einer großen Pfanne 60 ml Olivenöl bei mittlerer Temperatur erhitzen. Die Semmelbrösel mit Zitronenschale, Salz und Pfeffer darin 6–8 Min. unter Rühren anbraten, bis sie eine leicht goldgelbe Färbung angenommen haben. Zum Abkühlen in eine Schüssel umfüllen, dann die Petersilie unterrühren und beiseitestellen.

Die Spaghetti nach den Anweisungen auf der Packung kochen, dann abgießen, dabei etwas Kochwasser auffangen.

Inzwischen die Pfanne mit Küchenpapier auswischen, 1 EL Öl hineingeben und bei mittlerer Temperatur erhitzen. Die Zwiebel und den Knoblauch darin 4–5 Min. unter Rühren anbraten, bis sie weich sind. Die Chili hineingeben und 1 Min. anbraten, dann das Krebsfleisch hinzufügen und 1 Min. unter Rühren braten, bis es vollständig erwärmt ist.

Den Zitronensaft und das restliche Öl zugießen und unterrühren. Bei niedriger Temperatur unter gelegentlichem Rühren 2 Min. erwärmen, damit sich die Aromen verbinden können.

Die heißen abgetropften Spaghetti zusammen mit einigen Esslöffeln Kochwasser in die Pfanne mit dem Krebsfleisch geben. Gut vermischen, dann die Hälfte der Semmelbröselmischung unterheben.

Auf einer Platte anrichten und mit der restlichen Semmelbröselmischung bestreuen. Sofort servieren, die Zitronenspalten separat dazu reichen.

AUBERGINEN-MOZZARELLA-LASAGNE

Das perfekte vegetarische Hauptgericht! Man muss dafür 1½ Std. Zeit einplanen, da die Auberginen erst Wasser ziehen sollen und dann gegrillt werden, was aber bereits am Vortag erledigt werden kann. Ich verwende für die Lasagne eine Auflaufform von 32 cm x 20 cm x 6 cm.

2 Auberginen, längs in 5 mm dicke Scheiben geschnitten
1½ EL Olivenöl
1 Zwiebel, grob gehackt
4 Knoblauchzehen, grob gehackt
1 lange rote Chilischote, Samen entfernt, fein gehackt
2 Dosen (à 400 g) stückige Tomaten
1 EL Tomatenmark
250 ml guter Rotwein
1 EL Balsamico
1 EL eingelegte Kapern, abgespült und abgetropft
1 Bund frischer Oregano, Blättchen abgestreift und grob zerzupft
1 Prise Zucker
40 g frisches Weißbrot oder Sauerteigbrot
150 g Parmesan, fein gerieben
2 Zucchini, grob geraspelt
2 EL Sauerrahm
250 g Büffelmozzarella, in dünne Scheiben geschnitten
100 g frische Lasagneblätter, passend zurechtgeschnitten
Olivenölspray
feines Salz und frisch gemahlener schwarzer Pfeffer

Für 6 Personen

Die Auberginenscheiben in ein großes Sieb legen und mit 2 EL Salz bestreuen. Im Salz wenden und 1 Std. Wasser ziehen lassen.

Inzwischen 1 EL Öl in einer großen Kasserolle mit schwerem Boden bei mittlerer Temperatur erhitzen. Die Zwiebeln darin 3–4 Min. anbraten, bis sie weich geworden sind, dann den Knoblauch zugeben und 3 Min. anbraten, dabei häufig umrühren, damit der Knoblauch nicht anbrennt. Die Chili hinzufügen und 2 Min. unter häufigem Rühren anbraten. Die stückigen Tomaten, Tomatenmark, Rotwein, Essig, Kapern, den Großteil des Oreganos (eine große Handvoll beiseitelegen) und den Zucker hinzufügen. Mit Pfeffer würzen. Alles vermischen, dann 45 Min. bei niedriger Temperatur köcheln.

Den Backofengrill vorheizen.

Die Auberginenscheiben unter fließendem kaltem Wasser gründlich abspülen, dann auf Küchenpapier ausbreiten und mit weiterem Küchenpapier sorgfältig trocken tupfen. Die Scheiben auf einer Seite mit Olivenölspray besprühen, dann mit der öligen Seite nach oben unter den heißen Backofengrill legen und 3–4 Min. grillen. Aus dem Ofen nehmen, die Scheiben wenden, erneut mit Olivenöl besprühen und goldbraun grillen. Auf Küchenpapier abtropfen lassen.

Den Backofen auf 180 °C Umluft vorheizen.

Das Brot in der Küchenmaschine grob zerkleinern. Den aufbewahrten Oregano hinzufügen und erneut mixen, dann 50 g Parmesan zugeben und nochmals alles zusammen zerkleinern. Beiseitestellen.

Überschüssiges Wasser aus den geraspelten Zucchini herausdrücken und die Raspeln mit Küchenpapier zusätzlich trocken tupfen. Das restliche Öl bei mittlerer Temperatur in einer Pfanne erhitzen, die Zucchini darin unter häufigem Rühren 3 Min. anbraten. Dann die Temperatur reduzieren, den Sauerrahm hinzufügen und 1–2 Min. unter Rühren garen.

Schließlich die Hälfte der Tomatensauce auf dem Boden einer großen rechteckigen Auflaufform verteilen. Die Hälfte der Auberginenscheiben in einer Lage, einander leicht überlappend, darauf anordnen. Die Hälfte der Mozzarellascheiben darauflegen, dann mit der Hälfte des restlichen Parmesans bestreuen und mit einer Lage Lasagneblätter bedecken.

Eine weitere Lage Tomatensauce, Auberginenscheiben, Mozzarella, Parmesan und Lasagneblätter in die Form schichten, dann die Nudelschicht mit der Zucchinimischung, eventuell übrigen Auberginenscheiben und den Kräuterbröseln bedecken.

Im Ofen 35–40 Min. backen, bis sich die Lasagne goldbraun färbt und blubbert, dann portionieren und servieren.

WALNUSSBROT

Schnell zubereitet, nussig, mit Biss und tollem Geschmack. Ich serviere das Brot gerne zur Karotten-Ingwer-Suppe auf Seite 70.

2 TL brauner Zucker
7 g Trockenhefe
3 EL Olivenöl
300 g Mehl, gesiebt
150 g Buchweizenmehl, gesiebt
2 EL Weizenkeime
175 g Walnusskerne, geröstet und fein gehackt
1½ EL Chiasamen
2 EL zerlassene Butter
Meersalz und frisch gemahlener schwarzer Pfeffer

Ergibt 2 kleine Laibe oder 1 normalen

Den Zucker mit der Hefe und 125 ml warmem Wasser in einer großen Schüssel verrühren. Abdecken und 10–12 Min. ruhen lassen, bis sich Bläschen bilden. Das Öl und weitere 160 ml lauwarmes Wasser unterrühren, dann beide Mehlsorten, Weizenkeime, Walnüsse, 1 EL Chiasamen und 1 TL Salz hinzufügen. Alles verrühren, dann die Zutaten von Hand zu einem Teig verkneten. Auf die bemehlte Arbeitsfläche geben und etwa 5 Min. kneten, bis ein homogener Teig entstanden ist. In eine saubere Schüssel legen, mit Frischhaltefolie abdecken und etwa 2 Std. an einem warmen Ort gehen lassen, bis sich sein Volumen verdoppelt hat.

Den Backofen auf 200 °C Umluft vorheizen. Ein großes Backblech mit Mehl bestäuben.

Den Teig auf eine saubere bemehlte Fläche geben und noch einmal kurz durchkneten, damit die Luft entweicht. Den Teig halbieren und zu zwei Laiben formen. Auf das vorbereitete Blech legen, dann drei schräge, 1 cm tiefe Schlitze in gleichem Abstand voneinander in die Oberfläche schneiden. Die Oberfläche mit zerlassener Butter bestreichen und mit den übrigen Chiasamen bestreuen. Im Ofen 20–25 Min. backen, bis die Brote eine appetitlich goldbraune Färbung angenommen haben und beim Klopfen auf die Unterseite hohl klingen.

KÖRNER-BAGELS MIT RÄUCHERLACHS

Ich hatte immer gedacht, es sei kompliziert, Bagels selbst zu backen, aber erstaunlicherweise ist es ganz einfach. Diese Mini-Versionen sind ein Hit auf jeder Cocktailparty und ein willkommener Mitternachtsimbiss nach ein paar Drinks. Du kannst sie mit allem füllen, was dir gefällt: mit Bratenaufschnitt oder Wurst, Gürkchen und Mayo. Roastbeef, Brunnenkresse und Meerrettichsauce sind ebenfalls ganz köstlich.

1 EL Olivenöl oder Reiskeimöl
1 Zwiebel, fein gehackt
2 große Knoblauchzehen, fein gehackt
1 EL Chiasamen
1 EL heller Sesam
1 EL schwarzer Sesam
1 EL Mohnsamen
60 g Pinienkerne
7 g Trockenhefe
1 EL Zucker
450 g Weizenmehl Type 550
(Brotmehl mit mind. 13% Glutenanteil)
1 TL feines Salz
4 EL heller Agavendicksaft (siehe Seite 10)
250 g fettreduzierter Frischkäse
2 EL Crème fraîche
1 EL Zitronensaft
1 kleine Handvoll Dill, klein geschnitten
400 g Räucherlachs in Scheiben
Meersalz und frisch gemahlener schwarzer Pfeffer

Zitronenspalten zum Servieren

Ergibt 16 Mini-Bagels, 4 werden belegt

Das Öl in einer kleinen Pfanne bei mittlerer Temperatur erhitzen und die Zwiebel etwa 3 Min. anbraten, bis sie gerade eben weich ist. Den Knoblauch zugeben und 3 Min. anbraten, dabei häufig umrühren, bis die Zwiebel gar und glasig ist. Vom Herd nehmen und 10 Min. abkühlen lassen.

Alle Samen und die Pinienkerne in einer kleinen Schüssel vermischen und beiseitestellen.

Die Hefe mit dem Zucker und 100 ml warmem Wasser in einer großen Schüssel verrühren. Abdecken und 10–12 Min. ruhen lassen, bis sich Bläschen bilden. Mehl, Salz, die abgekühlte Zwiebel-Knoblauch-Mischung, die Hälfte der Samenmischung und weitere 200 ml warmes Wasser unterrühren. Alles gründlich von Hand verkneten, dann auf die bemehlte Arbeitsfläche geben.

Den Teig 10 Minuten kneten, dabei immer wieder auseinanderziehen und neu zur Kugel formen. In eine große mit Olivenöl eingefettete Schüssel legen und mit einem feuchten Geschirrtuch abdecken. Den Teig an einem warmen Ort etwa 1 Std. gehen lassen, bis sich sein Volumen verdoppelt hat.

Den Backofen auf 170 °C Umluft vorheizen. Zwei Backbleche mit Backpapier auslegen.

Eine große Kasserolle bis zur Hälfte mit Wasser füllen und zum Kochen bringen. Den Agavendicksaft unterrühren.

Den Teig mit der Faust eindrücken, damit die Luft entweicht, und auf die bemehlte Arbeitsfläche legen. Den Teig in sechzehn gleiche Portionen teilen (von der Größe eines kleinen Hühnereis) und zu Kugeln formen. Die Kugeln etwas flachdrücken und mit einem kleinen runden Ausstecher (2 cm Ø) mittig ein Loch ausstechen, sodass ein Teigring entsteht. Jeden Bagel behutsam um den bemehlten Zeigefinger wirbeln, um das Loch etwas auszudehnen.

Die Bagels nacheinander in Viererportionen ins kochende Wasser gleiten lassen und je 1 Min. garen, mit einem Schaumlöffel wenden und von der anderen Seite 1 weitere Min. garen. Herausheben und auf Küchenpapier abtropfen lassen.

Die Bagels auf den Backblechen verteilen und gleichmäßig mit der verbliebenen Samenmischung bestreuen. Etwa 30 Min. backen, bis sie eine goldbraune Färbung und einen appetitlichen Glanz angenommen haben.

Inzwischen den Frischkäse mit Crème fraîche, Zitronensaft und Dill in einer Schüssel mit dem Schneebesen aufschlagen, dann 20 Min. kalt stellen.

Die Bagels aufschneiden, die Unterhälften mit der gekühlten Frischkäsemasse bestreichen. Mit dem Räucherlachs belegen, großzügig salzen und pfeffern und die Oberhälften auflegen. Mit den Zitronenspalten servieren.

FOCACCIA MIT KARAMELLISIERTEN ZWIEBELN, FENCHELSAMEN UND TOMATEN

Ein gehaltvolles Brot mit viel Geschmack. Vor dem Backen großzügig salzen, das kitzelt ein Maximum an Aroma aus den Zutaten heraus. Mit einem hochwertigen nativen Olivenöl extra zum Dippen servieren.

7 g Trockenhefe
½ TL Zucker
80 ml Olivenöl zzgl. etwas zum Einfetten
450 g Weizenmehl Type 550
1 TL feines Salz
4 rote Zwiebeln, in dünne Ringe geschnitten
1½ EL brauner Zucker
4 EL Balsamico
1 TL Fenchelsamen zzgl. 1 TL zum Bestreuen
250 g Kirschtomaten, halbiert
grobes Meersalz

Für 8 Portionen

Die Hefe mit dem Zucker, 2 EL Öl und 320 ml warmem Wasser in einer Schüssel verrühren, dann etwa 5 Min. an einem warmen Ort ruhen lassen, bis sich Bläschen bilden.

Das Mehl in eine Schüssel sieben, das Salz hinzufügen. Eine Mulde in die Mitte drücken, die Hefemischung hineingießen und alles mit einem Holzlöffel verrühren.

Auf die bemehlte Arbeitsfläche geben und 10 Min. von Hand kneten, bis ein glatter, elastischer Teig entstanden ist. Eine Schüssel mit Olivenöl einfetten, den Teig hineinlegen und mit einem feuchten Geschirrtuch abdecken. An einem warmen Ort etwa 1 Std. gehen lassen, bis sich sein Volumen verdoppelt hat.

Inzwischen das restliche Öl bei niedriger bis mittlerer Temperatur in einer Pfanne erhitzen. Die Zwiebeln darin 12–15 Min. unter Rühren anbraten, bis sie weich sind. Den braunen Zucker und den Essig hinzufügen und 7–10 Min. unter Rühren schmoren, bis die Zwiebeln karamellisiert sind und der Essig eingekocht ist. Die Pfanne vom Herd nehmen und beiseitestellen.

Den Teig mit der Faust eindrücken, damit die Luft entweicht. Auf die leicht bemehlte Arbeitsfläche geben und 1–2 Min. kneten. Den Teig annähernd rechteckig ausbreiten, dann die gesamte Oberfläche gleichmäßig mit den Zwiebeln bedecken. Mit Fenchelsamen bestreuen. Den Teig einige Male vorsichtig übereinanderklappen, sodass dabei ein Großteil der Zwiebelmischung in den Teig eingearbeitet wird. Das kann ein bisschen klebrig werden, daher darauf achten, dass die Arbeitsfläche gut bemehlt ist.

Den Backofen auf 200 °C Umluft vorheizen. Ein Backblech mit Olivenöl einfetten.

Den Teig auf das vorbereitete Backblech legen und in Form drücken, mit einem feuchten Geschirrtuch bedecken und etwa 20 Min. an einem warmen, zugluftfreien Ort gehen lassen, bis sich sein Volumen verdoppelt hat.

Mit den Fingern Mulden in den Teig pressen, dann die Tomatenhälften vorsichtig in die Mulden drücken. Großzügig mit Öl bestreichen, mit Fenchelsamen und mit reichlich Meersalz bestreuen.

Im Ofen 20–25 Min. backen, bis die Focaccia appetitlich goldbraun gefärbt und durchgebacken ist. Warm oder bei Raumtemperatur servieren.

PARTY-SNACKS UND DRINKS

CERVEZA IMPORTADA
IMPORTED BEER
BIÈRE IMPORTÉE
4.5% Alc./Vol.
Sol

PIKANTE GEWÜRZMANDELN

Mein Freund Michael Wohlstadt von »Dairyman's Cottage« im Barossa Valley (siehe Seiten 32–41) begrüßt die Bewohner seines Gästehauses mit einem wunderbar bestückten Tablett voller kleiner Leckereien, einer Flasche Wein und diesen unglaublichen Gewürzmandeln. Während meines Aufenthalts dort habe ich so viele davon verdrückt, dass es völlig klar war, dass dieses Rezept mit ins Buch muss.

300 g ganze Mandeln mit Haut
60 ml Olivenöl
1 EL Meersalz
2 EL sehr fein gehackte Kaffirlimettenblätter
1½ EL Knoblauchgranulat
3 TL Chiliflocken
1½ TL edelsüßes Paprikapulver
1 TL Chilipulver

Für ca. 2 Portionen

Den Backofen auf 220 °C Umluft vorheizen.

Die Mandeln auf ein Backblech geben, mit dem Öl übergießen und mit dem Salz bestreuen. Die Mandeln auf dem Blech ausbreiten, etwa 10 Min. rösten, dabei gelegentlich wenden, bis einige der Mandeln aufzubrechen beginnen.

Das Blech aus dem Ofen nehmen und noch heiß mit den Limettenblättern und den Gewürzen bestreuen. Gut vermischen, dann auf dem Blech abkühlen lassen.

Die Mandeln halten sich in einem luftdichten Behälter etwa 1 Woche.

EDAMAME MIT MIRIN, SALZ UND CHILI

Wirklich schnell zubereitet und so gut – macht sofort süchtig! Köstlich für Cocktailpartys oder als Knabberei zum Aperitif. Edamame gibt's im Asialaden.

450 g tiefgekühlte Edamame
1 EL Sesamöl
1 EL Mirin
1 EL Reisweinessig
2 TL Chiliflocken
Meersalz

Chiliflocken zum Servieren

Für 4–8 Portionen

Die angetauten Schoten 5–8 Min. in kochendem Salzwasser garen, dann abgießen.

In der Zwischenzeit das Sesamöl mit Mirin und Essig in einer Schüssel verquirlen.

Die Edamame mit dem Dressing übergießen, dann mit den Chiliflocken und 2 TL Salz würzen und gründlich vermischen, sodass die Schoten ringsum damit überzogen sind.

Auf einem großen Teller anrichten, Salz und Chiliflocken getrennt dazu servieren. Die Schoten mit den Fingern aufdrücken und die Bohnenkerne in den Mund schlürfen.

WASABI-GRISSINI MIT LACHSDIP

Perfekt für Partys! Diese dünnen Brotstangen haben es ganz schön in sich, sodass der cremig milde Dip für Ausgleich sorgt. Du kannst die Grissini so lang oder so kurz machen, wie du möchtest.

250 g Mehl
1 TL Trockenhefe
2 TL schwarzer Sesam zzgl. etwas zum Bestreuen
3 TL Wasabipaste
Meersalz und frisch gemahlener schwarzer Pfeffer

LACHSDIP
250 g fettreduzierter Sauerrahm
1 EL Tamari oder Sojasauce
Saft von ½ Zitrone
250 g Räucherlachs, zerzupft
Meersalz und frisch gemahlener schwarzer Pfeffer

Ergibt 40 Stück

Das Mehl mit Hefe, Sesam, Wasabi und ½ TL Salz in die Rührschüssel der Küchenmaschine geben. 160 ml warmes Wasser zugießen und 5 Min. bei langsamer Geschwindigkeit mit dem Knethaken zu einem glatten Teig verkneten.

Den Teig auf eine leicht bemehlte Arbeitsfläche geben und einige Minuten von Hand kneten, dann zu einer Kugel formen und in eine leicht mit Öl eingefettete Schüssel legen. Mit einem feuchten Geschirrtuch abdecken und den Teig etwa 1 Std. an einem warmen Ort gehen lassen, bis sich sein Volumen verdoppelt hat.

Den Backofen auf 170 °C Umluft vorheizen. Drei Backbleche mit Backpapier auslegen.

Die Teigkugel vierteln, jedes Viertel halbieren, dann in je 5 walnussgroße Stücke teilen und auf der sauberen Arbeitsfläche mit den Händen zu 20 cm langen Teigsträngen rollen. Auf die Backbleche verteilen, mit wenig Wasser bepinseln und mit dem übrigen schwarzen Sesam bestreuen. Im Ofen 15–20 Min. backen oder bis sie goldbraun und knusprig sind.

Inzwischen den Dip zubereiten. Dazu alle Zutaten in den Mixbehälter der Küchenmaschine füllen und fein zerkleinern, bis sich der Räucherlachs mit den anderen Zutaten zu einer homogenen Paste verbunden hat. Abschmecken und beiseitestellen.

Die Grissini auf einer Servierplatte aufstapeln oder aufrecht in Gläser stellen und den Lachsdip dazu servieren.

KATIES LEBERPASTETE MIT RHABARBERPASTE UND GLASIERTEN BIRNEN

Für 10–12 Portionen

Ich bin ein großer Fan von Pasteten und könnte davon essen, bis sie mir aus den Ohren herauskommen. Für dieses Rezept musst du die Entenleber vermutlich beim Metzger vorbestellen. Ich verwende hier Amontillado- oder Oloroso-Sherry, aber nimm einfach das, was gerade zur Hand ist.

150 g Butter
3 Schalotten, in dünne Ringe geschnitten
4 große Knoblauchzehen, in dünne Scheiben geschnitten
250 g Schinkenwürfel
60 ml halbtrockener Sherry
250 g Leber vom Bio-Huhn, pariert
250 g Leber von der Bio-Ente, pariert
2–3 Thymianzweige, Blättchen abgestreift
300 g Sahne
Meersalz und frisch gemahlener schwarzer Pfeffer

Landbrot, dünn aufgeschnitten und getoastet, zum Servieren

RHABARBERPASTE

250 g geputzter Rhabarber, in 1,5 cm große Stücke geschnitten
2 EL Zucker
125 ml Blutorangensaft oder Orangensaft
2 TL Grand Marnier
3 Blatt Gelatine (Qualität Gold extra)

GLASIERTE BIRNEN

4 Birnen, geschält, vom Kerngehäuse befreit und in 8 Spalten geschnitten
4 ganze Sternanis
5 Kardamomkapseln, mit dem Messerrücken angedrückt
2 EL dunkler Vollrohrzucker

Die Hälfte der Butter bei mittlerer Temperatur in einer Pfanne erhitzen. Die Schalotte und den Knoblauch darin 3–4 Min. unter Rühren anbraten. Die Schinkenwürfel hinzufügen und 6–8 Min. unter häufigem Rühren anbraten, bis sie sich gerade eben goldbraun färben. 1 EL Sherry zugeben und mit einem Holzlöffel gut umrühren, dabei alles abschaben, was am Pfannenboden angesetzt hat. Die Mischung in den Mixer füllen.

In derselben Pfanne die restliche Butter bei mittlerer Temperatur erhitzen, darin die Hühner- und die Entenlebern mit Thymian 3–4 Min. anbraten, bis die Lebern gerade eben gar, aber im Kern noch rosa sind. Die Sahne und den restlichen Sherry zugießen und sorgfältig unterrühren, die Mischung ebenfalls in den Mixer geben. Alle Zutaten zu einer glatten Masse zerkleinern. Mit Salz und Pfeffer abschmecken und 15 Min. abkühlen lassen, dann in sterilisierte kleine Gläser füllen und beiseitestellen.

Für die Rhabarberpaste den Rhabarber mit Zucker, Orangensaft, Orangenlikör und 100 ml Wasser in einer Kasserolle zum Kochen bringen. Bei niedriger Temperatur 8–10 Min. köcheln, bis der Rhabarber zerfallen und die Sauce eingedickt ist. Durch ein feinmaschiges Sieb in eine Schüssel streichen und zum Abkühlen beiseitestellen.

Die Blattgelatine in einer Schüssel mit kaltem Wasser bedecken, 5 Min. quellen lassen, herausnehmen und gut ausdrücken. Mit 2 EL Rhabarbersauce in eine kleine Kasserolle geben und bei mittlerer Temperatur rühren, bis die Gelatine sich aufgelöst hat. Die Gelatinemischung in die übrige Rhabarbersauce rühren. Die Pastete in den Gläsern damit übergießen, die Gläser verschließen und über Nacht im Kühlschrank fest werden lassen.

Für die glasierten Birnen alle Zutaten mit 3/4 l Wasser bei hoher Temperatur in einer Kasserolle erhitzen. Aufkochen, die Temperatur reduzieren und 5–10 Min. köcheln, bis die Birnen sich mit einem Messer leicht einstechen lassen (die Garzeit hängt von ihrem Reifegrad und der Sorte ab). Die Birnen mit einem Schaumlöffel herausheben und in eine Schüssel geben, dann den Kochsud bei mittlerer bis hoher Temperatur 25–30 Min. zu einer Glasur einkochen lassen. Die Birnen in die Glasur legen und 3–4 Min. unter vorsichtigem Rühren köcheln, bis sie glasiert sind. Zum Abkühlen beiseitestellen.

Die Pastete mit den glasierten Birnen und getoastetem Brot servieren.

GARNELEN-CROSTINI MIT TOMATEN-CHAMPAGNER-SAUCE

Wenn's mal richtig edel sein darf, kannst du anstelle der Garnelen auch ausgelösten Hummerschwanz verwenden. Wähle die beste Sauce hollandaise, die du finden kannst – sie macht den Unterschied!

600 g verzehrfertige, gegarte Garnelen
Dillzweige und frisch gemahlener schwarzer Pfeffer zum Garnieren

TOMATEN-CHAMPAGNER-SAUCE
3 große Rispentomaten
1 Prise Zucker
50 g Butter zzgl. 1 TL zum Verfeinern
250 ml Champagner oder Sekt
Tabasco, nach Belieben
Meersalz und frisch gemahlener weißer Pfeffer

getoastete Baguettescheiben und gekaufte Sauce hollandaise zum Servieren

Ergibt 12 Stück

Für die Sauce die Tomaten halbieren, die Samen und den Saft in eine kleine Kasserolle drücken und bei niedriger Temperatur erhitzen. Das Tomatenfruchtfleisch fein hacken, dazugeben und bei mittlerer Temperatur 2–3 Min. köcheln. Zucker und Butter hinzufügen und erhitzen, bis die Butter geschmolzen ist, dann den Champagner oder Sekt zugießen und etwa 10 Min. einkochen, bis die Sauce etwas eingedickt.

Im Mixer zu einer glatten Sauce pürieren, dann durch ein feinmaschiges Sieb passieren und zurück in die Kasserolle geben. Bei niedriger Temperatur 40–50 Min. unter gelegentlichem Rühren offen köcheln, bis sie weiter eingedickt ist. 1 TL Butter und 1–2 Spritzer Tabasco hinzufügen, mit Salz und weißem Pfeffer abschmecken, dann vom Herd nehmen.

Die gerösteten Brotscheiben mit je 1 TL Sauce Hollandaise bestreichen und mit 1–2 Garnelen belegen. Mit je 1 TL der Sauce beträufeln und mit den Dillzweigen garnieren. Mit etwas Pfeffer grob übermahlen und sofort servieren.

0,1 l.

FETA-CROSTINI MIT ZUCCHINI UND SCHINKEN

Für diese Crostini nur Baguette oder ein anderes helles Brot verwenden – Sauerteigbrot wäre hier eine zu kräftige Option.
Um die Zucchini dünn aufzuschneiden, verwende ich eine Mandoline – ein tolles Küchengerät übrigens! Daran denken, den Schinken vorab in mundgerechte Stücke zu schneiden, damit die Crostini einigermaßen mit Anstand verspeist werden können.

1 große Zucchini, mit einer Mandoline längs in sehr feine Scheiben gehobelt
fein abgeriebene Schale und Saft von 1 Bio-Zitrone zzgl. etwas Saft zum Kochen und einige Zesten zum Servieren
2 EL Olivenöl
60 g tiefgekühlte sehr feine Erbsen
1 Krustenbaguette, schräg in 1,5 cm dicke Scheiben geschnitten
1 Knoblauchzehe, halbiert
250 g Feta, abgetropft
1 Handvoll Minzeblätter, fein gehackt, zzgl. einige Blättchen zum Garnieren
6 dünne Scheiben roher Schinken, in mundgerechte Stücken zerteilt
Meersalz und frisch gemahlener schwarzer Pfeffer

natives Olivenöl extra zum Servieren

Ergibt 12 Stück

Die Zucchinistreifen mit dem Zitronensaft und 1 EL Öl in eine Schüssel geben. Mit Salz und Pfeffer würzen und 15 Min. ziehen lassen.

In der Zwischenzeit die Erbsen 1 Min. in kochendem Wasser mit einem Schuss Zitronensaft blanchieren, dann abgießen und beiseitestellen.

Eine Grillpfanne bei mittlerer bis hoher Temperatur erhitzen. Das Brot beidseitig mit dem restlichen Öl bestreichen, dann 1–2 Min. pro Seite goldbraun rösten, bis es deutliche Grillspuren aufweist. Das Brot auf einer Seite mit der Schnittfläche der Knoblauchzehe einreiben, dann beiseitelegen.

Die Zucchinistreifen abtropfen lassen, dabei die Marinade auffangen, und 1 Min. pro Seite in der heißen Grillpfanne garen, bis sie leichte Grillspuren aufweisen.

Den Feta mit der abgeriebenen Zitronenschale und der Minze zur aufbewahrten Marinade geben, kräftig salzen und pfeffern und zu einer nahezu glatten Paste verrühren. Diese auf die Brotscheiben streichen und mit Schinken, Zucchinistreifen sowie Erbsen belegen. Mit Zitronenzesten und einigen Minzeblättchen garnieren, mit nativem Olivenöl extra beträufeln und mit Salz und Pfeffer bestreut servieren.

O'SHOCKOS GUACO MIT KNUSPRIGEN LIMETTEN-TORTILLACHIPS

Mein guter Freund Ian O'Shaughnessy macht die allerallerbeste Guacamole auf diesem Planeten. Verwende dafür gerade eben reife Avocados und achte darauf, sie nicht zu fein zu zerdrücken, sonst sieht das Ergebnis aus wie Babybrei. *Arriba*!

fein abgeriebene Schale von 2 Bio-Limetten
8 weiche Tortillas aus Mais- oder Weizenmehl, jeweils in Achtel geschnitten
2 Knoblauchzehen, halbiert
mildes Olivenölspray
Meersalz und frisch gemahlener schwarzer Pfeffer

O'SHOCKOS GUACO
3 Rispentomaten
3 Avocados, das Fruchtfleisch ausgelöst
fein abgeriebene Schale von 1 Bio-Limette
Saft von 2 Limetten
½ kleine rote Zwiebel, sehr fein gehackt
3 Knoblauchzehen, sehr fein gehackt
1 kleine Handvoll Korianderblätter, sehr fein gehackt
2 TL Chipotle-Sauce (siehe Seite 28) oder ein paar Spritzer Tabasco
Meersalz und frisch gemahlener schwarzer Pfeffer

Limettenspalten zum Servieren

Für 6 Portionen

Für die Guacamole die Tomaten am unteren Ende jeweils kreuzförmig einritzen, in eine hitzebeständige Schüssel legen und mit reichlich kochendem Wasser übergießen. 30 Sek. stehen lassen, dann die Tomaten herausnehmen und zum Abschrecken in kaltes Wasser legen, danach die Haut abziehen. Die geschälten Tomaten halbieren, die Samen herausschaben und wegwerfen. Das Fruchtfleisch fein hacken.

Das Avocadofruchtfleisch mit Limettenschale und -saft in eine Schüssel geben. Mit einer Gabel behutsam zu einer groben Masse zerdrücken. Die Tomaten, Zwiebel, fein gehackten Knoblauch, Koriander und die Chipotle- oder Tabascosauce hinzufügen. Vorsichtig unterheben, bis alles vermischt ist, dabei die Avocado nicht zu stark pürieren, dann mit Salz und Pfeffer abschmecken. Abdecken und in den Kühlschrank stellen.

Den Backofen auf 180 °C Umluft vorheizen. Drei Backbleche mit Backpapier auslegen.

Für die Tortillas die Limettenschale in ein kleines Schraubdeckelglas geben, 1 Prise Salz und etwas Pfeffer zugeben, dann das Glas verschließen und schütteln, damit sich die Zutaten verbinden.

Die Tortilla-Ecken auf den vorbereiteten Backblechen verteilen, die Oberseiten mit den Schnittflächen der Knoblauchzehen einreiben. Mit Olivenöl einsprühen und die gewürzte Limettenschale darüberstreuen. Im Ofen 10–12 Min. goldbraun und knusprig backen, dann abkühlen lassen.

Die Tortillachips mit der gekühlten Guaco und Limettenspalten servieren

PASTYS MIT SCHWEINEFLEISCH UND PICKLES

Ergibt 8 Stücke

Diese englischen Pasteten sind prima für ein Picknick am Wochenende oder als Pausensnack für Schüler. Ich nehme dafür die guten alten, nach englischer Art in Malzessig eingelegten Zwiebeln, eine Allround-Kartoffel wie Desiree und einen krümeligen, kräftig aromatischen reifen Cheddar. Du kannst auch fertigen Mürbeteig verwenden, wenn die Zeit knapp ist.

125 g Kartoffeln, gewürfelt
1 EL Olivenöl
½ kleine Zwiebel, fein gehackt
2 Knoblauchzehen, fein gehackt
200 g mageres Hackfleisch vom Bio-Schwein
5 etwa pflaumengroße in Essig eingelegte Zwiebeln, abgetropft und gehackt
75 g geriebener Cheddar
1 EL fein gehackte glatte Petersilie
1 Bio-Eigelb, mit einem Schuss Milch verquirlt
1 EL Sesam
Meersalz und frisch gemahlener schwarzer Pfeffer

SAUERRAHM-MÜRBETEIG

200 g Mehl, gesiebt
150 g Butter, gekühlt und gewürfelt
60 g Sauerrahm
frisch gemahlener schwarzer Pfeffer

Tomatenchutney von guter Qualität zum Servieren

Für den Teig das Mehl mit der Butter in den Mixbehälter der Küchenmaschine füllen und vermischen, bis sich Krümel bilden. Den Sauerrahm und den Pfeffer hinzufügen und erneut vermischen, bis sich die Zutaten gerade eben zu einem Teig verbinden – er sollte weich und leicht klebrig sein. Den Teig auf der leicht bemehlte Arbeitsfläche sanft kneten, dabei zu einer flachen Scheibe formen. In Frischhaltefolie wickeln und 30 Min. kalt stellen.

Inzwischen die Kartoffeln 12–15 Min. in einer Kasserolle mit kochendem Salzwasser garen, bis sie fast gar, aber im Kern noch etwas fest sind, dann abgießen und zum Abkühlen beiseitestellen.

Das Olivenöl bei mittlerer Temperatur in einer Kasserolle erhitzen. Die Zwiebel darin 3–4 Min. unter Rühren anbraten, bis sie weich geworden ist. Den Knoblauch zugeben und 2–3 Min. mitbraten. Die Mischung in eine Schüssel füllen und abkühlen lassen, dann das Hackfleisch, die eingelegten Zwiebeln, den Käse und die Petersilie hinzufügen, salzen, pfeffern und gründlich vermischen. Die Kartoffeln zugeben und vorsichtig unterheben.

Den Backofen auf 180 °C Umluft vorheizen. Zwei Backbleche mit Backpapier auslegen.

Auf der bemehlten Arbeitsfläche den Teig in acht gleiche Portionen teilen, jede zu einem Teigkreis von 14 cm Ø ausrollen. Die Füllung gleichmäßig auf die Kreise verteilen, dabei einen 1–2 cm breiten Rand frei lassen. Den Rand mit der Eigelb-Milch-Mischung bestreichen und die Kreise zum Halbkreis zusammenklappen. Den Rand dicht zusammendrücken, dann die Teigtasche aufrecht hinstellen – die Nahtstelle zeigt nach oben – und die Füllung dabei sanft nach unten drücken, sodass die Teigtasche eine flache Unterseite erhält.

Die Teigtaschen auf die vorbereiteten Bleche verteilen, rundum mit der Eigelb-Milch-Mischung bestreichen und mit Sesam bestreuen. Im Ofen 30 Min. backen, bis sich der Teig appetitlich goldbraun färbt und die Füllung vollständig durchgegart ist.

Heiß oder lauwarm mit Tomatenchutney servieren.

MINI-BURGER MIT FRIKADELLE UND TOMATEN-CHILI-SAUCE

Mini-Burger sind mittlerweile überall bekannt und beliebt — kein Wunder! Die folgenden drei Rezepte sind inspiriert von einer Mini-Burger-Platte, die ich mehr als einmal in einer Bar im New Yorker West Village genossen habe. Falls du keine Blauen Schwimmkrabben für die Mini-Burger auf Seite 239 auftreiben kannst, verwende einfach Krebsfleisch aus der Dose und zerzupfe es fein. Um den Kohl sehr fein zu hobeln, nehme ich eine Mandoline und stelle den Abstand zur Klinge auf 0,75 mm ein.

100 g Fontina, in dünne Scheiben geschnitten
1 Handvoll wilder Rucola
20 Mini-Hamburgerbrötchen mit Sesam oder Mini-Brioches, aufgeschnitten
Olivenöl zum Braten

TOMATEN-CHILI-SAUCE

1 EL Olivenöl
1 Zwiebel, fein gehackt
3 Knoblauchzehen, fein gehackt
400 g stückige Tomaten aus der Dose
250 g passierte Tomaten
1 Prise Chiliflocken
1 Prise Zucker
10 Basilikumblätter, zerzupft
Meersalz und frisch gemahlener schwarzer Pfeffer

FRIKADELLEN

150 g frische Semmelbrösel
150 ml warme Milch
400 g mageres Hackfleisch vom Bio-Rind
400 g mageres Hackfleisch vom Bio-Schwein
½ Zwiebel, fein gehackt
4 Knoblauchzehen, fein gehackt
2 EL frisch gehackte glatte Petersilie
50 g geriebener Parmesan
1 Prise frisch geriebene Muskatnuss
1 EL Worcestersauce
2 TL körniger Senf
1 Bio-Ei
Meersalz und frisch gemahlener schwarzer Pfeffer

Ergibt 20 Mini-Burger

Für die Sauce das Öl bei mittlerer bis hoher Temperatur in einer Kasserolle erhitzen, dann die Zwiebel und den Knoblauch darin 3–4 Min. unter häufigem Rühren anbraten. Die stückigen und die passierten Tomaten, Chiliflocken, Zucker und Basilikum hinzufügen und bei niedriger bis mittlerer Temperatur 15–18 Min. unter häufigem Rühren offen köcheln, bis die Sauce um etwa ein Drittel eingekocht ist. Mit Salz und Pfeffer abschmecken.

Inzwischen die Hackbällchen zubereiten. Semmelbrösel und Milch in einer großen Schüssel vermengen und 5 Min. quellen lassen. Alle übrigen Zutaten zufügen und von Hand verkneten.

Die Hackfleischmasse zu zwanzig Bällchen formen. Diese leicht flachdrücken und auf einen mit Küchenpapier ausgelegten Teller legen. Abdecken und 20 Min. kalt stellen.

Den Backofen auf 180 °C Umluft vorheizen. Zwei Backbleche mit Backpapier auslegen.

In einer großen beschichteten Pfanne 1 EL Öl bei mittlerer bis hoher Temperatur erhitzen. Je 5 Frikadellen 2–3 Min. pro Seite goldbraun anbraten, dann auf den vorbereiteten Backblechen verteilen. Sobald alle angebraten sind, die Backbleche in den Ofen schieben und 6–8 Min. backen. Aus dem Ofen nehmen und jede Frikadelle mit einer Scheibe Käse belegen, dann 4–5 Min. im Ofen überbacken, bis der Käse geschmolzen ist und die Frikadellen gar sind. Herausnehmen und 10 Min. ruhen lassen.

Zum Fertigstellen den Rucola auf den Unterseiten der Mini-Brötchen verteilen und je eine Frikadelle darauflegen. Mit 1 EL Tomaten-Chili-Sauce beträufeln, die Brötchenoberhälfte aufsetzen und mit einem Spieß fixieren.

Von links nach rechts: Mini-Burger mit Frikadelle und Tomaten-Chili-Sauce, mit Hummer und Erbsen-Mayo, mit Krabbenküchlein und Chipotle-Mayo-Krautsalat

MINI-BURGER MIT HUMMER UND ERBSEN-MAYO

(FOTO AUF SEITE 237)

16 dünne runde Scheiben milder Pancetta
1 Bund Rucola oder Brunnenkresse, geputzt
16 Mini-Hamburgerbrötchen mit Sesam oder Mini-Brioches, quer halbiert
8 kleine Rispentomaten, in Scheiben geschnitten
300 g ausgelöstes Fleisch vom Hummerschwanz, in mundgerechte Stücke zerzupft

ERBSEN-MAYO
1 Prise Zucker
120 g tiefgekühlte Erbsen
2 Bio-Eigelb
1 EL Zitronensaft
65 ml mildes Olivenöl
65 ml Rapsöl
1 TL Dijonsenf
2 TL Estragonessig
Meersalz und frisch gemahlener weißer Pfeffer

Ergibt 16 Mini-Burger

Den Backofen auf 180 °C Umluft vorheizen. Ein Backblech mit Backpapier auslegen.

Den Pancetta auf das vorbereitete Blech legen und 6–10 Min. im Ofen knusprig und goldbraun backen, dabei ein Auge auf den Bräunungsgrad haben.

Inzwischen die Erbsen-Mayo zubereiten. Dazu eine kleine Kasserolle zur Hälfte mit kaltem Wasser füllen, den Zucker zugeben und zum Kochen bringen. Die Erbsen darin 2 Min. kochen, dann abgießen und zum Abkühlen beiseitestellen.

Eigelb mit Zitronensaft und 1 Prise Salz in den Mixbehälter der Küchenmaschine geben. Auf hoher Stufe 1 Min. vermischen, dann bei laufendem Motor das Öl in dünnem Strahl zugießen, bis eine dicke glänzende Mischung entstanden ist.
Die abgekühlten Erbsen, Senf und Essig hinzufügen und mit Salz und Pfeffer würzen. Erneut vermischen, bis die Erbsen fein zerkleinert sind und die Mayonnaise blassgrün ist.

Zum Fertigstellen etwas Rucola oder Brunnenkresse auf den Unterseiten der Mini-Brötchen verteilen und mit den Tomaten- und Pancettascheiben belegen.
Etwas Hummerfleisch darauflegen und mit der Erbsen-Mayo beträufeln.
Die Brötchenoberseiten auflegen und mit einem Spieß fixieren.

MINI-BURGER MIT KRABBENKÜCHLEIN UND CHIPOTLE-MAYO-KRAUTSALAT

(FOTO AUF SEITE 237)

4 EL Olivenöl oder Reiskeimöl
150 g fein gehobelter Rotkohl
1 großer grüner Apfel, halbiert, vom Kerngehäuse befreit und in Juliennes geschnitten, dann mit einem Spritzer Zitronensaft vermischt
50 g Zuckerschoten, längs in dünne Streifen geschnitten
20 Mini-Hamburgerbrötchen mit Sesam oder Mini-Brioches, aufgeschnitten

KRABBENKÜCHLEIN

140 g frische Semmelbrösel
fein abgeriebene Schale und Saft von 1 Bio-Zitrone
600 g gegartes ausgelöstes Fleisch von der Blauen Schwimmkrabbe, abgetropft und, falls nötig, zerzupft
2 EL eingelegte Kapern, abgespült und abgetropft
140 g Gewürzgurken, gut abgetropft, sehr fein gehackt
4 Frühlingszwiebeln, geputzt und in dünne Scheiben geschnitten
1 Handvoll glatte Petersilienblätter, fein gehackt
1 Handvoll Korianderblätter, fein gehackt
2 große Bio-Eier, leicht verquirlt
Meersalz und frisch gemahlener schwarzer Pfeffer

CHIPOTLE-MAYO

2 Bio-Eigelb
1 EL Zitronensaft
125 ml mildes Olivenöl
1 TL körniger Senf
1 EL Cidre-Essig, ersatzweise Apfelessig
½ TL edelsüßes Paprikapulver
1 EL Chipotle-Sauce (siehe Seite 28)
Meersalz und frisch gemahlener weißer Pfeffer

Ergibt 20 Mini-Burger

Für die Krabbenküchlein die Semmelbrösel und den Zitronensaft in einer großen Schüssel vermischen und 5 Min. quellen lassen. Alle übrigen Zutaten zufügen und mit den Händen verkneten. Aus der Mischung 20 Bällchen formen, diese leicht flachdrücken und auf einen mit Küchenpapier ausgelegten großen Teller legen. Abdecken und 20 Min. kalt stellen.

Für die Chipotle-Mayo das Eigelb mit Zitronensaft und 1 Prise Salz in den Mixbehälter der Küchenmaschine geben. Auf hoher Stufe 1 Min. vermischen, dann bei laufendem Motor das Öl in dünnem Strahl zugießen, bis eine dicke glänzende Mischung entstanden ist. Senf, Essig, Paprikapulver und Chipotle-Sauce hinzufügen und mit Pfeffer abschmecken, dann nochmals 20 Sek. vermischen und beiseitestellen.

Den Backofen auf 180 °C Umluft vorheizen. Zwei Backbleche mit Backpapier auslegen.

In einer großen beschichteten Pfanne 1 EL Öl bei mittlerer Temperatur erhitzen. Jeweils 5 Krabbenküchlein 1–2 Min. pro Seite leicht goldbraun anbraten (Vorsicht, sie brechen leicht), dann auf den vorbereiteten Backblechen verteilen. Sobald alle angebraten sind, die Backbleche in den Ofen schieben und 8–10 Min. backen, bis die Küchlein goldbraun und gar sind. Aus dem Ofen nehmen und warm halten.

Den Rotkohl mit Apfel und Zuckerschoten in eine Schüssel füllen, die Chipotle-Mayo komplett hinzufügen und alles gründlich vermischen.

Zum Fertigstellen die Krabbenküchlein auf die Unterseiten der Brötchen legen, mit dem Krautsalat bedecken, die Brötchenoberseiten auflegen und mit einem Spieß fixieren.

BREZELN MIT SCHOKOLADE UND MEERSALZ

Und wieder ein Rezept, zu dem mich ein Abendessen in NYC angeregt hat – toll für Partys: Das Meersalz bildet einen fantastischen Kontrast zur zartbitteren dunklen Schokolade. Du kannst die Brezeln so groß oder so klein machen, wie du möchtest. Unbedingt darauf achten, dass du die Brezeln nur 30 Sek. lang im kochenden Wasser lässt, sonst sind sie nach dem Backen möglicherweise etwas zäh. Wegen der unvermeidlich schokoverschmierten Finger mit kleinen Papierservietten servieren.

2 TL brauner Zucker
1½ TL Trockenhefe
350 g Weizenmehl Type 550 (Brotmehl)
1 EL ungesüßtes, alkalisiertes Kakaopulver
80 g Back-Natron
400 g Zartbitterschokolade von guter Qualität
Olivenöl zum Einfetten
1½ TL grobes Meersalz
feines Salz

Ergibt 30 Stück

Den Zucker mit Trockenhefe, Mehl, Kakaopulver und 1 Prise Salz in eine Schüssel sieben, dann 200 ml warmes Wasser zugießen. Mit einem Holzlöffel rühren, bis sich alle Zutaten vermischt haben, dann mit den Händen zu einem glatten Teig verarbeiten. Auf die leicht bemehlte Arbeitsfläche heben und weitere 4–5 Min. kneten, bis ein elastischer Teig entstanden ist.

Den Teig in eine mit wenig Olivenöl eingefettete Schüssel legen, mit einem feuchten Geschirrtuch abdecken und 1–2 Std. an einem warmen Ort gehen lassen, bis sich sein Volumen verdoppelt hat.

Den Teig auf der leicht bemehlte Arbeitsfläche zu einer etwa 30 cm langen, flachen Rolle formen. Mit einem scharfen Messer in 1 cm dicke Scheiben schneiden, dann jedes Stück zwischen den Händen zu einem 35–40 cm langen dünnen Teigstrang rollen. Zu einer Brezel formen: Die beiden Enden des Teigstrangs mit je einer Hand fassen, zu einem umgedrehten U formen, dann das Ende aus der rechten Hand schräg nach links führen und auf dem Teigstrang andrücken, das aus der der linken schräg nach rechts führen und andrücken. Die Verbindungsstellen vorher mit wenig Wasser bestreichen. Die Brezeln mit ausreichend Abstand auf leicht eingefettete Backbleche legen und 20 Min. gehen lassen.

Inzwischen den Backofen auf 160 °C Umluft vorheizen. Zwei oder drei Backbleche mit Backpapier auslegen.

In einer großen Kasserolle 4 l Wasser bei mittlerer bis hoher Temperatur erhitzen, das Natron zugeben und zum Kochen bringen. Die Brezeln einzeln nacheinander 30 Sek. ins Wasser gleiten lassen, dann mithilfe eines Schaumlöffels und einer Küchenzange behutsam herausnehmen und auf Küchenpapier abtropfen lassen.

Die Brezeln auf den vorbereiteten Backblechen verteilen und 35–40 Min. backen.

Die Schokolade in einer hitzebeständigen Schüssel im Wasserbad oder in der Mikrowelle schmelzen, dann beiseitestellen und leicht abkühlen lassen.

Die abgekühlten Brezeln so in die flüssige Schokolade tauchen und rundum überziehen. Mit dem groben Meersalz bestreuen und kalt stellen, bis die Schokolade ausgehärtet ist.

ORANGEN-KORIANDER-MARGARITAS

(FOTO AUF SEITE 244)

Eine fantastische Erfrischung an einem heißen Tag!
Falls Blutorangen gerade keine Saison haben sollten, einfach eine andere Sorte verwenden. Für den Salzrand an den Gläsern nehme ich gern das feine französische Salz der Marke Celtic, du kannst aber jedes andere feinkörnige Salz dafür verwenden.

½ TL Koriandersamen
frischer Saft von 4 Limetten
frischer Saft von 8 Blutorangen
120 ml Tequila
60 ml Cointreau
2 TL heller Agavendicksaft (siehe Seite 10)
feines Salz

Eiswürfel und Würzbitter zum Servieren

Ergibt 4 Margaritas

Die Koriandersamen bei niedriger Temperatur in einer kleinen Pfanne 30–40 Sek. rösten, bis sie zu duften beginnen, dann im Mörser zerstoßen.
Die Zitrussäfte mit Tequila, Cointreau und Agavendicksaft einige Sekunden im Cocktail-Shaker vermischen, den zerstoßenen Koriander hinzufügen, dann 30 Min. in den Kühlschrank stellen.
Vier Gläser mit Eis füllen, mit dem Cocktail übergießen und in jedes Glas 1 Spritzer Würzbitter geben.

THE RED BARON

(Foto auf Seite 245)

Dieses Rezept ist von meinem Kumpel Andy Lawrence. Wir haben uns bei der Arbeit kennengelernt – er ist Digital Operator und ein fantastischer Fotograf –, und er hat mir bei einigen Aufnahmen für dieses Buch geholfen. Die Zusammenarbeit mit ihm war super!

Auf einer Cocktailparty bei mir zuhause hat Andy, der bereits in einigen Bars gearbeitet hat, diesen Knaller aus dem Ärmel gezaubert. Es handelt sich um eine Bloody-Mary-Variante minus Wodka. Wenn du es lieber etwas stärker magst, kannst du jederzeit Tequila ergänzen.

feines Salz
1 Limette, geviertelt
Eiswürfel
180 ml Tomatensaft
Worcestersauce
Tabasco
Meersalz und frisch gemahlener schwarzer Pfeffer

1 Flasche (375 ml) Corona zum Auffüllen

Ergibt 1 Cocktail

Etwas feines Salz auf einen Teller geben und gleichmäßig darauf verteilen. Den Glasrand mit einem Limettenviertel abreiben, dann den Rand in das Salz tauchen.

In ein Longdrink-Glas 3–4 Eiswürfel geben, dann den Limettensaft hineinpressen. Den Tomatensaft, jeweils einige Spritzer Worcestersauce und Tabasco, dann etwas Salz und Pfeffer hineingeben und gut umrühren.

Mit Corona aufgießen, und auch beim Trinken immer wieder mit dem Bier auffüllen.

№. 246

HIMBEER-GRANATAPFEL-MARTINI

(FOTO AUF SEITE 248)

Super für einen Mädelsabend: so lecker und gleichzeitig so hübsch! Nimm den besten Wodka, der greifbar ist. Ich verwende eine australische Marke namens 666 — fantastische Qualität und ziemlich coole Flasche.

125 g frische Himbeeren
60 ml Wodka
Saft von 1 Limette
3 TL Zuckersirup (siehe nächste Seite)
2 EL Granatapfelsaft
1 Handvoll zerstoßenes Eis

Granatapfelkerne und feine Zesten von Bio-Zitronen oder -Limetten zum Garnieren

Ergibt 2 Drinks

Für die Garnitur 4 oder 6 schöne Himbeeren beiseitelegen, den Rest im Mixer fein pürieren. Durch ein feinmaschiges Sieb in eine Schüssel passieren, die Samen wegwerfen.

Das Püree mit Wodka, Limettensaft, Zuckersirup, Granatapfelsaft und dem Eis in einen vorgekühlten Cocktail-Shaker geben, diesen verschließen und kräftig schütteln.

Zum Servieren den Cocktail in ein Glas abseihen und mit den Deko-Himbeeren, den Granatapfelkernen und den Zesten garnieren.

BASILIKUM-JALAPEÑO-MARGARITA

(Foto auf Seite 249)

Der mit Jalapeño aromatisierte Tequila sowie der Zuckersirup reichen für 15 Cocktails – perfekt für Partys. Der mit Jalapeño aromatisierte Tequila sollte zwei Tage im Voraus angesetzt werden, damit sich die Aromen entwickeln können. Der Tequila lässt sich bis zu drei Monate in einem sterilisierten Gefäß aufbewahren, wobei die Schärfe zunimmt, je länger die Chilis im Tequila ziehen dürfen. Daher ist es ratsam, sie nach spätestens einer Woche herauszufischen und zu entsorgen – es sei denn, du stehst auf Schärfe Marke Höllenfeuer.

1 Bio-Limette, geviertelt
7–8 große Minzeblätter, grob zerzupft
4–5 große Basilikumblätter, grob zerzupft, zzgl. einige schöne Blätter zum Garnieren
3 TL klarer Tequila
1 Handvoll zerstoßenes Eis

JALAPEÑO-TEQUILA

500 ml klarer Tequila
2–3 Jalapeño-Schoten, längs halbiert und Samen entfernt

ZUCKERSIRUP

150 g Zucker

Eiswürfel zum Servieren

Ergibt 2 Drinks

Für den Jalapeño-Tequila den Tequila mit den Chilis in ein großes Schraubglas füllen. Den Deckel fest schließen und den Inhalt des Glases vor der Verwendung 2–7 Tage ziehen lassen.

Für den Sirup den Zucker mit 150 ml Wasser in einer Kasserolle zum Kochen bringen. Rühren, bis der Zucker auflöst ist. Dann bei mittlerer Temperatur unter ständigem Rühren 2 Min. köcheln, beiseitestellen und vollständig abkühlen lassen.

Die Limettenviertel in den vorgekühlten Cocktail-Shaker auspressen, die Schalen ebenfalls hineingeben. Die Kräuter hinzufügen und mit einem Barstößel zerdrücken. Den Tequila, 30 ml vom Jalapeño-Tequila, 1 EL Zuckersirup sowie 1 Handvoll zerstoßenes Eis zugeben. Den Shaker verschließen und kräftig schütteln. Zum Servieren den Cocktail in zwei bis zur Hälfte mit Eiswürfeln gefüllte Cocktailgläser abseihen und mit den Basilikumblättern garnieren.

A MEXICAN WEEKEND AT MY PLACE

EIN MEXIKANISCHES WOCHENENDE BEI MIR

№. 250

El malo
Blanco

ESPOLÓN
MORENA
YY
V TOP

Meine Fotoproduzentin Sophie Penhallow ist eine tolle Frau. Sie ist witzig und gut drauf und weiser als man bei ihrem Alter vermuten würde. Mit ihrem Rat – sowohl persönlichem als auch beruflichem – kommt sie immer auf den Punkt, und die Zusammenarbeit mit ihr in den vergangenen drei Jahren, in denen mich ihre Agentur Network vertreten hat, war ganz wunderbar. Als ich hörte, dass Sophie dreißig wird, fand ich es daher nur passend, bei mir zu Hause eine schöne Geburtstagsparty für sie auszurichten. Ich hatte mitbekommen, dass sie total verrückt nach mexikanischem Essen ist, und da dieses Buch auch einige mexikanische Rezepte enthält (weil ich neuerdings selbst ganz wild auf mexikanisches Essen bin), sollte es eine *fiesta mexicana* werden – *Arriba*!

Da das Wetter in Sydney manchmal ein kleines bisschen unberechenbar ist, vor allem im Herbst, gab es ein klitzekleines Problem mit dem original Mexiko-Feeling: Es regnete den ganzen Tag ununterbrochen (stellt euch mein trauriges/verärgertes Gesicht vor), aber wir haben uns den Spaß nicht verderben lassen und haben vom frühen Nachmittag bis in die frühen Morgenstunden gefeiert!

Keine mexikanische Party ist komplett ohne den guten alten Brauch, eine Piñata zu zerschlagen! Zwei meiner jüngeren Blogleserinnen, Georgia (15 Jahre) und Maddie (12 Jahre), waren auch da. Sie lieben mein erstes Buch, und ich habe mich riesig gefreut, sie kennenzulernen. Es war toll, dass sie kommen konnten, und sie haben die Piñata mit großer Begeisterung zerschlagen – während wir mit nicht minder großer Begeisterung zugeschaut haben.

Und wieder hätte ich das alles nicht geschafft ohne meine Assistentin Alice und ohne die Hilfe von Lou Brassil, du hast mir beim Styling geholfen und Requisiten für diesen Tag beschafft, und zwar aus einem fantastischen Geschäft für Vintage-Möbel namens »Doug Up On Bourke« in Sydney. Jede Menge schräge mexikanische Accessoires haben wir auch bei »Holy Kitsch« gefunden.

Interessante Webseiten:

Douguponbourke.com.au
Holykitsch.com.au

Embasa
ORIGINAL
CHOLULA
HOT SAUCE
100% NATURAL
HOT SAUCE
SALSA PICANTE
CHILE
HABANERO
TAPATÍO
HOT SAUCE
CHILE HABANERO

SÜS
NIELSEN-MASSEY VANILLAS, INC.
WAUKEGAN, IL 60085-8307 USA
123101
12/2015
PROCESS

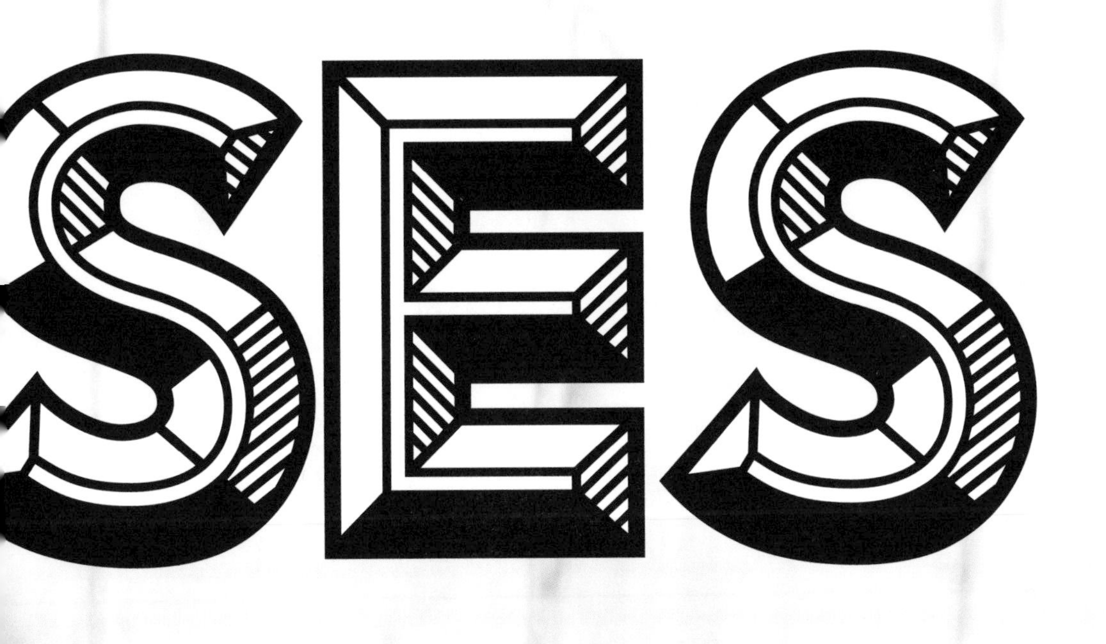
SES

6LB.
BI-CARB SODA SHOULD NOT BE USED).
THICK
RICH
CREAM
0,5 l.

PRODUCT OF AUSTRALIA REG. No. 268
HALF GALLON
Devondale
ice cream
VANILLA STRAWBERRY CHOCOLATE
NEAPOLITAN
ARTIFICIALLY COLOURED & FLAVOURED
DEVONDALE CREAM PTY. LIMITED, ST. MARYS, N.S.W.

Venchi
il gelato

PAVLOVA MIT GEWÜRZÄPFELN UND SALZKARAMELL-SAUCE

Ein Prachtstück! Pavlovas sind eigentlich ziemlich einfach zuzubereiten, wenn man erst mal etwas Übung hat. Nimm eine Schüssel mit entsprechender Größe als Schablone, um die Kreise aufs Backpapier zu zeichnen.

½ Zitrone
6 Bio-Eiweiß
300 g extrafeiner Zucker
1 Prise feines Salz
1 TL Weißweinessig
1 TL Maisstärke
1 TL Weinstein
1 TL Zimt
250 g Mascarpone
300 g Sahne
1 Tütchen Sahnesteif
1 Rezeptmenge Salzkaramell-Sauce (siehe Seite 283)
80 g Mandelblättchen
Puderzucker zum Bestäuben

GEWÜRZÄPFEL

800 g grüne Äpfel, geschält, vom Kerngehäuse befreit und in 2 cm dicke Würfel geschnitten
250 ml Prosecco oder Sekt
75 g brauner Zucker
1 Sternanis
1 TL Zimt
5 Gewürznelken
1 Vanillestange, längs aufgeschnitten und das Mark ausgekratzt

Für 8 Portionen

Den Backofen auf 150 °C Umluft vorheizen. Drei Backbleche mit Backpapier auslegen. Auf jedes Backpapier mit Bleistift einen Kreis mit 18–20 cm Ø zeichnen, die Kreisfläche mit Puderzucker bestäuben, damit die Baisers sich leichter vom Backpapier lösen.

Die Rührschüssel der Küchenmaschine mit dem Anschnitt einer halbierten Zitrone ausreiben, um eventuelle Fettspuren zu entfernen. Das Eiweiß darin 2–3 Min. bei mittlerer Geschwindigkeit aufschlagen, bis es voluminös ist und große Blasen entstehen. Auf hoher Stufe weiterschlagen, dabei esslöffelweise den Zucker zugeben und zwischen den einzelnen Zugaben schlagen, bis die Masse am Ende dick und glänzend geworden ist und feste Spitzen stehen bleiben.

Salz, Essig, Maisstärke, Weinstein und Zimt hinzufügen und behutsam unterziehen.

Das Backpapier auf der Unterseite in allen vier Ecken mit einem kleinen Tupfer Baiser anfeuchten, damit es nicht verrutscht. Den Eischnee in den markierten Kreisen verteilen und etwas auftürmen. Oberseite und Ränder glattstreichen, dann in den Ofen schieben. Die Temperatur sofort auf 120 °C Umluft senken und 1¼ Std. backen.

Die Baiserscheiben im ausgeschalteten Ofen vollständig abkühlen lassen, dabei die Ofentür einen Spaltbreit offenstehen lassen.

Für die Gewürzäpfel alle Zutaten mit 125 ml Wasser in eine Kasserolle geben, verrühren und bei hoher Temperatur zum Kochen bringen. Auf niedrige bis mittlere Temperatur reduzieren und 6–7 Min. köcheln, bis die Äpfel weich zu werden beginnen, aber noch nicht zerfallen.

Die Äpfel mit einem Sieblöffel herausheben und beiseitestellen. Die Gewürze entfernen und die in der Kasserolle verbliebene Flüssigkeit etwa 15 Min. bei niedriger Temperatur zu einer sirupartigen Glasur einkochen. Dann die Glasur wieder unter die Apfelstücke rühren und vollständig abkühlen lassen.

Die Sahne mit Sahnesteif aufschlagen, dann den Mascarpone unterrühren, bis sie sich zu einer dicken, glatten Creme verbunden haben.

Ein Drittel der Creme auf den ersten Baiserboden streichen, mit einem Drittel der Gewürzäpfel bedecken, einem Drittel der Sauce beträufeln und mit einem Drittel der Mandelblättchen bestreuen. Den zweiten Baiserboden vorsichtig darauflegen und den Schichtvorgang zweimal wiederholen. Sofort servieren.

No. 266

VANILLE-PANNA-COTTA MIT RHABARBER-ROSEN-KOMPOTT

Ein brillantes Dessert für Gäste, denn es ist nicht nur unglaublich einfach zuzubereiten, es lässt sich auch bereits am Vorabend fertigstellen, sodass du es nach dem Essen ganz entspannt aus dem Kühlschrank zaubern kannst. Die Kompottfrüchte kannst du jahreszeitlich passend variieren.

3 Blatt Gelatine (Qualität Gold extra)
350 g Konditorsahne
350 ml Milch
75 g extrafeiner Zucker
1 Vanillestange, längs aufgeschnitten und Mark ausgekratzt

RHABARBER-ROSEN-KOMPOTT

650 g Rhabarber, geputzt und in 4 cm lange Stücke geschnitten
125 ml Rotwein
fein abgeriebene Schale von 1 Bio-Orange
2 EL Honig
1 EL Rosenwasser
1 Blatt Gelatine (Qualität Gold extra)
1 EL Zucker (optional)

Ergibt 4 Stück

Die Gelatineblätter in eine Schüssel legen und mit kaltem Wasser bedecken. 5 Min. quellen lassen.

Inzwischen die Sahne mit Milch, Zucker und Vanillemark in einer Kasserolle bei niedriger bis mittlerer Temperatur bis knapp unter den Siedepunkt erhitzen, dabei häufig umrühren und darauf achten, dass die Mischung nicht kocht.

Die Blattgelatine gut ausdrücken, in die Kasserolle geben und bei niedriger Temperatur rühren, bis sie sich aufgelöst hat. Vom Herd nehmen und 10 Min. abkühlen lassen, dann in vier Dessertgläschen füllen und 3–4 Std. zum Gelieren kalt stellen.

Inzwischen das Kompott zubereiten. Dazu den Backofen auf 180 °C Umluft vorheizen.

Den Rhabarber in eine Auflaufform füllen, die so groß ist, dass sich der Rhabarber in einer Lage darin ausbreiten lässt. Rotwein, Orangenschale, Honig und Rosenwasser hinzufügen und mit Aluminiumfolie abdecken. Im Ofen 15–20 Min. schmoren, bis der Rhabarber gerade gar ist und nicht zerfällt. Den Rhabarber in einem Sieb abtropfen lassen, den Sud in einer kleinen Kasserolle auffangen. Den Rhabarber zum vollständigen Abkühlen beiseitestellen.

Die Blattgelatine in eine Schüssel legen und mit kaltem Wasser bedecken. 5 Min. quellen lassen.

Die Kasserolle mit dem Sud bei mittlerer bis hoher Temperatur zum Kochen bringen. Dann bei mittlerer Temperatur 1–2 Min. auf etwa 80 ml einkochen.

Die Gelatine gut ausdrücken, in die Kasserolle geben und bei niedriger Temperatur rühren, bis sie sich aufgelöst hat. Den Sirup probieren: Ist er zu sauer, den Zucker unterrühren. Vom Herd nehmen und 15 Min. abkühlen lassen.

Vom Sirup je 1 EL auf die festen Panna Cottas träufeln, dann das Rhabarberkompott gleichmäßig auf die Gläser verteilen. Für 1 Std. in den Kühlschrank stellen, bis der Sirup geliert ist, dann servieren.

ROSA-GRAPEFRUIT-FRIANDS MIT ESTRAGON UND ZIMT

Ich liebe es, Friands zu backen – sie sind so schnell und simpel gemacht, und einfach köstlich zur morgendlichen Tasse Tee. Estragon harmoniert hervorragend mit Grapefruit, die den kleinen Mandelküchlein eine fein-säuerliche, aromatische Note verleihen. Wenn du eine Friand-Form aus Silikon auftreiben kannst, umso besser!

160 g Butter
3 rosa Bio-Grapefruits
100 g Mehl
125 g gemahlene Mandeln
½ TL gemahlener Zimt
500 g Puderzucker
6 Bio-Eiweiß
6 Estragonblätter, sehr fein gehackt

Ergibt 12 Stück

Den Backofen auf 180 °C Umluft vorheizen. Ein 12er-Muffinblech einfetten. Silikon muss nicht eingefettet werden.

Die Butter in einer kleinen Kasserolle zerlassen, dann zum Abkühlen beiseitestellen.

Die Schale einer Grapefruit fein abreiben, dann diese und 1 weitere Grapefruit schälen und filetieren, den Abrieb und die Filets getrennt beiseitestellen. Die dritte Grapefruit auspressen, den Saft beiseitestellen.

Das Mehl mit den gemahlenen Mandeln, Zimt und 150 g Puderzucker in eine große Schüssel sieben. In die Mitte eine Mulde drücken.

In einer zweiten Schüssel das Eiweiß 30 Sek. mit einer Gabel schaumig aufschlagen. Die trockenen Zutaten zusammen mit der noch flüssigen Butter hinzufügen und mit einem Holzlöffel gründlich verrühren. Den Estragon und den Schalenabrieb zugeben und unterrühren, dann den Teig in einen Messbecher mit Ausguss füllen.

Den Teig in die vorbereiteten Vertiefungen gießen, dabei nur bis zur Hälfte füllen. Im Ofen 20–25 Min. backen, bis sie leicht gebräunt sind. Aus dem Ofen nehmen und 10 Min. abkühlen lassen, dann erst zum vollständigen Abkühlen auf ein Kuchengitter stürzen. Unter den Gitterrost ein oder zwei Bögen Folie ausbreiten, um später heruntertropfenden Guss aufzufangen.

Den restlichen Puderzucker in eine Schüssel sieben und mit 2 EL Grapefruitsaft glattrühren. Sollte der Guss zu fest sein, tropfenweise Saft zugeben. Den Guss über die abgekühlten Friands träufeln, 1–2 Min. erstarren lassen, dann jedes Friand mit ein oder zwei Grapefruitfilets garnieren.

SCHOKO-HASELNUSS-EISCREME

(FOTO AUF SEITE 272)

Die folgenden beiden Eisrezepte hat mir Alice, meine hinreißende Assistentin und Retterin in allen Lebenslagen, anvertraut. Sie hat das ein oder andere Buch über Eiscreme geschrieben, und die beiden folgenden soften Eisversionen sind besonders köstlich. Für beide Rezepte brauchst du ein Zuckerthermometer sowie eine Eismaschine.

140 g ungeschälte Haselnüsse
125 g Konditorsahne
500 ml Milch
3 EL ungesüßtes, alkalisiertes Kakaopulver, gesiebt
65 g Vollmilchschokolade von guter Qualität, grob gehackt
65 g Zartbitterschokolade von guter Qualität, grob gehackt
150 g extrafeiner Zucker
1 Bio-Eiweiß
1 EL Frangelico (italienischer Haselnusslikör; optional)
gehackte Haselnüsse zum Bestreuen

Für 4 Portionen

Den Backofen auf 180 °C Umluft vorheizen.

Die Haselnüsse gleichmäßig auf einem Backblech verteilen und 10 Min. im Ofen rösten, bis sie hell goldbraun sind und duften. Die heißen Nüsse in ein sauberes Geschirrtuch wickeln und die Haut weitgehend abrubbeln, dann die Nüsse grob hacken und in eine Kasserolle geben.

Sahne und Milch hinzufügen und bei niedriger bis mittlerer Temperatur bis knapp unter den Siedepunkt erhitzen. Vom Herd nehmen, das Kakaopulver und die gehackte Schokolade zugeben und mit dem Schneebesen rühren, bis die Schokolade geschmolzen ist und eine glatte Creme entstanden ist. In eine Schüssel umfüllen und zum Abkühlen beiseitestellen.

Den Zucker mit 60 ml Wasser in einer kleinen Kasserolle mit schwerem Boden unter ständigem Rühren zum Kochen bringen. 2–3 Min. kochen, bis sich der Zucker aufgelöst hat und das Zuckerthermometer 120 °C anzeigt.

Das Eiweiß in der Küchenmaschine 2 Min. bei hoher Geschwindigkeit aufschlagen. Bei laufendem Motor langsam den heißen Zuckersirup zugießen; nach dem Aufschlagen besitzt die Masse ein vergrößertes Volumen und ist luftig-locker. Weitere 5–8 Min. den Motor laufen lassen, bis die Masse Raumtemperatur angenommen hat.

Die Schoko-Nuss-Mischung durch ein feines Sieb in eine Schüssel abseihen, die Haselnüsse wegwerfen. Falls gewüscht, den Frangelico jetzt unterrühren und die Mischung zur Eiweißmasse geben. Kurz unterrühren, bis sich die Zutaten gerade verbunden haben. In einen Plastikbehälter gießen, mit einem Deckel fest verschließen und 2–3 Std. (oder über Nacht) in den Kühlschrank stellen, sodass die Mischung durch und durch kalt ist.

Aus dem Kühlschrank nehmen, noch einmal kurz aufschlagen, falls sich die Mischung getrennt hat, dann in der Eismaschine vollständig gefrieren lassen. Vor dem Servieren 1–2 Std. in den Gefrierschrank stellen. Das Eis ist im Gefrierschrank 3–4 Tage haltbar.

Zum Servieren mit gehackten Haselnüssen bestreuen.

BUTTERMILCH-EISCREME

(FOTO AUF SEITE 273)

60 g Sahne
250 ml Milch
1 Vanilleschote, längs aufgeschnitten
170 g extrafeiner Zucker
1 Bio-Eiweiß
500 ml Buttermilch

Für 4 Portionen

Die Sahne mit der Milch und der Vanilleschote in einer kleinen Kasserolle bei niedriger Temperatur bis knapp unter den Siedepunkt erhitzen. Vom Herd nehmen und zum Abkühlen beiseitestellen.

Den Zucker mit 60 ml Wasser in einer kleinen Kasserolle mit schwerem Boden unter ständigem Rühren zum Kochen bringen. 2–3 Min. kochen, bis sich der Zucker aufgelöst hat und das Zuckerthermometer 120 °C anzeigt.

Das Eiweiß in der Küchenmaschine mit Metallschüssel 2 Min. bei hoher Geschwindigkeit aufschlagen. Bei laufendem Motor langsam den heißen Zuckersirup zugießen; nach dem Aufschlagen besitzt die Masse ein vergrößertes Volumen und ist luftig-locker. Weitere 5–8 Min. den Motor laufen lassen, bis die Masse Raumtemperatur angenommen hat, dann die Buttermilch hinzufügen und nur so lange unterrühren, bis sie sich gerade eben mit der Eiweißmasse verbunden hat.

Die Vanillestange aus der Milchmischung herausfischen und wegwerfen, dann die Vanillemilch zur Buttermilchmischung gießen. Etwa 20 Sek. aufschlagen, bis sich die Mischungen verbunden haben.

In einen Plastikbehälter gießen, mit einem Deckel fest verschließen und 2–3 Std. (oder über Nacht) in den Kühlschrank stellen, sodass die Mischung durch und durch kalt ist.

Aus dem Kühlschrank nehmen, noch einmal kurz aufschlagen, falls sich die Mischung getrennt hat, dann in der Eismaschine vollständig gefrieren lassen.

Am besten sofort servieren, wobei das Eis im Gefrierschrank noch 4 Tage haltbar ist. Ganz köstlich in Kombination mit frischen Beeren.

EAT ME
DANSES
LANGUES
CADEAU
IX FAURE

cream
CADEAU
FELIX
apparaître à tous les
soixante ans, on les voit
dans l'âge adulte et l'adolescence
rares après les hivers longs,
profond, avec des
qui régularise
la coca, qui assu
les transports

No. 274

APFEL-BROMBEER-SCHNITTEN MIT HASELNUSS-STREUSELN

Und noch eine tolle Idee fürs Picknick. Der Kuchen ist im Kühlschrank in einem luftdicht verschlossenen Behälter bis zu 3 Tage haltbar.

150 g kalte Butter, gewürfelt
300 g Mehl, gesiebt
165 g extrafeiner Zucker
1 Bio-Ei, leicht verquirlt
1 TL Vanilleextrakt
2 grüne Äpfel, geschält, vom Kerngehäuse befreit und klein gewürfelt
250 g frische Brombeeren (falls Tiefkühlware verwendet wird, aufgetaut)
Saft von 1 Limette

HASELNUSS-STREUSEL
75 g Mehl
100 g kalte Butter, gewürfelt
75 g brauner Zucker zzgl. 2 EL zum Bestreuen
50 g Haferflocken
125 g geröstete und enthäutete Haselnüsse (Vorbereitung siehe Seite 164), gehackt
½ TL gemahlener Ingwer

Für 12 Stücke

Die Butter mit dem Mehl und 110 g Zucker im Mixbehälter der Küchenmaschine zu feinen Bröseln verrühren. Das Ei und Vanilleextrakt hinzufügen und erneut vermischen. Mit den Händen kneten und zu einer Kugel formen, in Frischhaltefolie wickeln und 20 Min. kalt stellen.

Die Äpfel mit den Brombeeren, Limettensaft, dem restlichen Zucker und 125 ml Wasser in eine große Kasserolle füllen. Aufkochen, dann bei mittlerer Temperatur 15–20 Min. köcheln, bis die Äpfel weich sind und der Großteil der Flüssigkeit verdampft ist. Vom Herd nehmen, abkühlen lassen und mit dem Stabmixer fein pürieren. Beiseitestellen.

Den Backofen auf 180 °C Umluft vorheizen. Eine 24 cm x 30 cm große Backform einfetten und mit Backpapier auskleiden.

Für die Streusel das Mehl mit der Butter im Mixbehälter der Küchenmaschine zu feinen Bröseln verarbeiten. Die übrigen Zutaten hinzufügen, den Intervallschalter betätigen, damit sich die Zutaten verbinden, dann beiseitestellen.

Den Teig aus dem Kühlschrank nehmen, auswickeln und etwas flachdrücken. Zwischen zwei Bögen Backpapier zu einem 24 cm x 30 cm großen Rechteck ausrollen und in die Backform legen.

Den Teigboden mehrmals mit einer Gabel einstechen und etwa 20 Min. im Ofen backen, bis er sich braun zu färben beginnt. 5 Min. abkühlen lassen, dann das Fruchtpüree auf den Teigboden streichen. Erst mit den Streuseln, dann mit der Extraportion braunem Zucker bestreuen. Weitere 25–30 Min. backen, bis sich die Streusel goldbraun färben. Etwa 30 Min. in der Form abkühlen lassen, in 12 Stücke schneiden und servieren.

GLUTENFREIER ZITRONEN-KOKOS-KUCHEN

Dieser Kuchen war ein Riesenhit, als ich ihn vor einiger Zeit auf meinem Blog vorgestellt hatte, deshalb musste er auf jeden Fall mit in diesen Buch. Außerdem zählt das Foto zu meinen absoluten Lieblingsaufnahmen. Du kannst den Kuchen waagrecht aufschneiden, mit der Hälfte des Gusses füllen und mit der anderen Hälfte die Oberseite bestreichen — oder den Kuchen einfach ringsum damit überziehen, wie ich es hier getan habe. Glutenfreies Mehl und Kokosmehl wird in Reformhäusern und Bio-Supermärkten angeboten.

2½ EL Kokosmehl
125 g glutenfreies Mehl
1 TL Backpulver
150 g weiche Butter
150 g Zucker
3 Bio-Eier
1 EL Milch
60 ml Zitronensaft
80 g Sauerrahm
100 g Kokosnusshobel, z.B. mit dem Sparschäler abgeschält

ZITRONEN-FRISCHKÄSE-GUSS
250 g Frischkäse, glatt gerührt
320 g Puderzucker, gesiebt
fein abgeriebene Schale von 1 Bio-Zitrone
3 TL Zitronensaft

Für 6–8 Stücke

Den Backofen auf 160 °C Umluft vorheizen. Eine kleine Springform mit 18 cm Ø einfetten und mit Backpapier auskleiden.

Die Mehlsorten mit dem Backpulver in eine Schüssel sieben und beiseitestellen.

Butter und Zucker in der Rührschüssel der Küchenmaschine 8—10 Min. hell und cremig aufschlagen. Die Eier einzeln zugeben, nach jeder Zugabe gründlich unterschlagen. Milch, Zitronensaft, Sauerrahm und die gesiebten trockenen Zutaten hinzufügen und auf niedriger bis mittlerer Stufe zu einem glatten Teig verrühren.

Den Teig in die vorbereitete Backform füllen, die Oberfläche glattstreichen. Auf der mittleren Schiene in den Ofen stellen und 15 Min. backen, dann die Ofentemperatur auf 180 °C Umluft erhöhen und weitere 30—35 Min. backen, bis ein mittig in den Kuchen eingestochenes Holzstäbchen sauber herauskommt.

Aus dem Ofen nehmen und 15 Min. in der Form abkühlen lassen, dann auf ein Kuchengitter stürzen und vollständig abkühlen lassen.

Für den Guss den Frischkäse 2—3 Min. in der Rührschüssel der Küchenmaschine aufschlagen. Puderzucker, Zitronenschale und Zitronensaft hinzufügen und 5—6 Min. rühren, bis die Masse glatt und cremig ist. In eine Schüssel umfüllen, abdecken und für 1 Std. in den Kühlschrank stellen, damit er fester wird.

Den abgekühlten Kuchen rundum mit dem Guss bestreichen, dann mit den Kokosnusshobeln verzieren und sofort servieren.

№. 278

MOKKAPUDDING MIT INTEGRIERTER SAUCE

Wenn du ein Chocoholic bist, der auf feuchte, cremige, megaschokoladige Puddings steht, dann bist du hier genau richtig! Noch warm mit flüssiger Sahne oder gutem Vanilleeis genießen.

100 g Mehl
2 TL Backpulver
2 EL ungesüßtes, alkalisiertes Kakaopulver
75 g brauner Zucker
2 EL starker Espresso
100 ml Milch
1 Bio-Ei
50 g zerlassene Butter
1¼ EL Crème de Cacao (Kakaolikör; optional)

MOKKASAUCE
75 g brauner Zucker
1 EL ungesüßtes, alkalisiertes Kakaopulver, gesiebt
1 TL Instant-Espressopulver

flüssige Sahne oder Vanilleeis zum Servieren

Für 4 Portionen

Den Backofen auf 180 °C Umluft vorheizen. Eine Puddingform mit 1 l Volumen mit Butter einfetten.

Das Mehl mit Backpulver und Kakaopulver in eine große Schüssel sieben, den Zucker hinzufügen und alles vermischen. Espresso, Milch, Ei, Butter und, falls verwendet, den Kakaolikör zugeben und mit einem Holzlöffel gründlich vermischen. In die vorbereitete Puddingform gießen und auf ein Backblech stellen.

Für die Sauce den Zucker mit Kakao- und Kaffeepulver in eine Schüssel geben und verrühren. Gleichmäßig über den Pudding streuen und mit 250 ml kochendem Wasser übergießen.

Im Ofen 25–30 Min. backen, bis der Pudding aufgegangen ist und die Sauce an den Seiten blubbert. Warm mit Sahne oder Vanilleeiscreme servieren.

THE QUEEN'S PUDDING BOILER
CHALLIS'
Nº 16
PATENT

BISKUITTORTE MIT LIMONCELLO-BALSAMICO-ERDBEEREN

Hierbei handelt es sich um meine persönliche Version des klassischen britischen „4, 4, 4 und 2" *Victoria sponge* (Biskuit), wie ihn meine Mutter immer gebacken hat. Erdbeeren harmonieren hervorragend mit Zitrone, die in diesem Rezept in Form von Limoncello – einem italienischen Zitronenlikör, der in italienischen Feinkostgeschäften und im Spirituosenhandel angeboten wird.

175 g weiche Butter
175 g Zucker
3 Bio-Eier
1 TL Vanilleextrakt
175 g Mehl, gesiebt
1 TL Backpulver
1 EL Milch
1 EL Limoncello oder 2 TL Zitronensaft

100 g Sahne
200 g Mascarpone
Puderzucker zum Bestäuben

LIMONCELLO-BALSAMICO-ERDBEEREN

400 g Erdbeeren, entkelcht und geviertelt
2 EL Zucker
2 EL Limoncello oder 1 EL Zitronensaft
2 TL Balsamico

1 kleine Handvoll Minze, fein gehackt

Für 8 Stücke

Den Backofen auf 180 °C Umluft vorheizen. Zwei Springformen mit 20 cm Ø einfetten und mit Backpapier auslegen.

Butter mit Zucker 5–6 Min. in der Rührschüssel der Küchenmaschine hell und cremig aufschlagen. Die Eier nacheinander unterschlagen.

Vanilleextrakt und die Hälfte des Mehls zufügen und gründlich unterrühren. Die Milch und den Limoncello (oder den Zitronensaft) hinzugeben und unterrühren, dann das restliche Mehl hinzufügen und wieder alles glatt rühren.

Den Teig gleichmäßig auf die Springformen verteilen und die Oberfläche glattstreichen, dann die Formen sanft auf die Arbeitsfläche stoßen, damit Luftbläschen entweichen können. 20–25 Min. backen, bis sich die Biskuits an der Oberfläche goldbraun färben und ein jeweils mittig eingestochenes Holzstäbchen sauber wieder herauskommt. Wenn einer der Biskuits zu früh bräunt, nach halber Backzeit die Position im Ofen tauschen.

Aus dem Ofen nehmen und 5 Min. in den Formen abkühlen lassen, dann auf Kuchengitter stürzen und komplett abkühlen lassen.

Inzwischen die Erdbeeren mit Zucker, Limoncello (oder Zitronensaft) und dem Essig in eine kleine Kasserolle geben. Bei hoher Temperatur zum Kochen bringen, Temperatur reduzieren, die Minze zufügen und 2–3 Min. köcheln lassen (die Früchte sollten weich sein, aber noch ihre Form behalten). Die Mischung abgießen, dabei den Sud auffangen. Die Erdbeeren in einer Schüssel beiseitestellen. Den Sud zurück in die Kasserolle geben und bei mittlerer Temperatur auf die Hälfte einkochen, dann über die Erdbeeren gießen und vollständig abkühlen lassen.

Die Sahne steif schlagen, dann den Mascarpone einrühren, bis eine glatte Masse entstanden ist. Einen der Biskuitböden damit bestreichen und auf eine Tortenplatte geben, die so groß ist, dass sie eventuell austretenden Saft auffangen kann. Mit der Erdbeermischung bedecken, dann den zweiten Biskuit darauflegen und diesen großzügig mit Puderzucker bestäuben.

YOU'LL ENJOY
M. Polaner's

SUPER-SCHOKO-BROWNIES MIT SALZKARAMELL UND KIRSCHEN

Eine süße Sünde ohne Chance auf Vergebung! Du kannst sie warm mit einem guten Vanilleeis als Dessert beim nächsten Abendessen servieren. Beim Aufstreichen der Salzkaramellschicht kann es passieren, dass sie sich ein bisschen mit dem Teig mischt, was nicht weiter tragisch ist – einfach verstreichen, so gut es eben geht. Die Randstücke sind am allerbesten, da hier das Karamell schön klebrig ist.

110 g zerlassene Butter, leicht abgekühlt
1 EL Kirschlikör oder 1 TL Vanilleextrakt
110 g extrafeiner Zucker
3 Bio-Eier
110 g Mehl
½ TL Backpulver
50 g ungesüßtes, alkalisiertes Kakaopulver
2 EL Milch
100 g Zartbitterschokolade von guter Qualität, fein gehackt
250 g frische entsteinte Sauerkirschen, ersatzweise Schattenmorellen aus dem Glas, gut abgetropft
Puderzucker zum Bestäuben

SALZKARAMELL
150 g brauner Zucker
250 g Konditorsahne
75 g Butter
¼ TL Meersalz

Für 12 Stücke

Den Backofen auf 180 °C Umluft vorheizen. Den Boden und die Seiten eines 28 cm x 18 cm großen Backblechs (3 cm hoch) einfetten und mit Backpapier auskleiden.

Für das Salzkaramell alle Zutaten in einer Kasserolle unter häufigem Rühren zum Kochen bringen. Dann bei niedriger Temperatur 15–20 Min. köcheln, bis eine homogene dickflüssige Sauce entstanden ist. Beiseitstellen und leicht abkühlen lassen.

Die flüssige Butter mit Kirschlikör (oder Vanilleextrakt), Zucker und Eiern in einer Schüssel verrühren. Das Mehl mit Backpulver und Kakaopulver darübersieben und mit einem Holzlöffel gut verrühren. Die Milch unterrühren, dann die Schokolade und die Kirschen behutsam unterheben.

Die Hälfte des Teiges in die vorbereitete Form füllen und die Oberfläche glattstreichen. Das Salzkaramell in Klecksen darauf verteilen, dann mit dem übrigen Teig bedecken. Im Ofen 35–40 Min. backen, bis der Kuchen gar ist und die Oberfläche kleine Risse aufweist.

Aus dem Ofen nehmen und vollständig in der Form abkühlen lassen, dann in Stücke schneiden. Vor dem Servieren mit Puderzucker bestäuben.

PINIENKERN-COOKIES MIT ZITRONE UND MOHN

Diese feinen kleinen buttrigen Cookies sind schnell und einfach zubereitet. Manchmal serviere ich sie ohne Füllung, sie schmecken ausgezeichnet zu einer Tasse Tee oder in Kombination mit einer Zitronenmousse. Die Cookies selbst sind 7 Tage in einem luftdichten Behälter haltbar, die gefüllten Cookies gekühlt maximal 4 Tage, ebenfalls in einem luftdichten Behälter.

225 g Mehl
1 ½ TL Backpulver
¼ TL Ingwerpulver
3 Bio-Eiweiß
165 g Zucker
110 g zerlassene Butter, etwas abgekühlt
fein abgeriebene Schale von ½ Bio-Zitrone
75 g Pinienkerne zzgl. etwas mehr zum Bestreuen
1 EL Mohnsamen zzgl. etwas mehr zum Bestreuen

ZITRONEN-FRISCHKÄSE-FÜLLUNG
125 g Frischkäse, glatt gerührt
75 g weiche Butter
160 g Puderzucker, gesiebt
fein abgeriebene Schale von ½ Bio-Zitrone
2 TL Zitronensaft

Ergibt 35 Cookies

Den Backofen auf 160 °C Umluft vorheizen. Zwei große Backbleche mit Backpapier auslegen.

Das Mehl mit Backpulver und Ingwer in eine Schüssel sieben, mischen und beiseitestellen.

Das Eiweiß in einer Rührschüssel auf hoher Stufe schaumig schlagen. Bei laufendem Motor den Zucker esslöffelweise zugeben und weiterschlagen, bis feste Spitzen stehen bleiben. Butter, Zitronenschale, Pinienkerne und Mohnsamen mit einem großen Metalllöffel unterheben. Die Mehlmischung portionsweise behutsam unterheben, bis sich die Zutaten miteinander verbunden haben.

Die Mischung in einen großen Spritzbeutel mit Lochtülle (1,5 cm Ø) füllen. 3 cm breite Tupfen im Abstand von 6 cm auf die vorbereiteten Backbleche spritzen, dann die Oberseiten leicht flachdrücken. Mit den zusätzlichen Pinienkernen und Mohnsamen bestreuen, diese dabei etwas andrücken, damit sie kleben bleiben.

Im Ofen 10–12 Min. backen, bis sich die Ränder goldbraun färben. Aus dem Ofen nehmen, kurz auf dem Blech abkühlen lassen, dann auf Kuchengittern vollständig abkühlen lassen.

Für die Füllung den Frischkäse mit der Butter in einer Schüssel zu einer homogenen Masse aufschlagen, dann Puderzucker, Zitronenschale und Zitronensaft hinzufügen und luftig aufschlagen. In einen Spritzbeutel mit Loch- oder Sterntülle (1 cm Ø) füllen und 15 Min. in den Kühlschrank legen.

Zum Fertigstellen einen Tupfen Füllung auf die Unterseite eines Cookies spritzen, dann einen zweiten Cookie mit der flachen Seite daraufdrücken. Die beiden Cookies beim Andrücken behutsam drehen. Alle übrigen Cookies auf diese Weise verarbeiten. Vor dem Servieren 1 Std. kalt stellen.

DOUBLE-CHOC-CHEESECAKE MIT ROTEN FRÜCHTEN

Ich verwende für den Krümelboden Arnott's Chocolate Ripple Biscuits, du kannst jedoch genauso gut Oreos nehmen – einfach inklusive Cremefüllung komplett zerkrümeln. Falls du keinen Amaretto verwenden willst, kannst du ihn durch 1 TL Vanilleextrakt ersetzen. Wer mag, kann der hübscheren Optik wegen einige Stiele an den Kirschen lassen.

250 g Schokoladenkekse ohne Glasur oder Füllung
125 g blanchierte Mandeln
120 g zerlassene Butter, leicht abgekühlt
100 g Zartbitterschokolade von guter Qualität
100 g Vollmilchschokolade von guter Qualität
500 g Frischkäse, glatt gerührt
250 g fettreduzierter Sauerrahm
4 Bio-Eier
250 g dunkler Vollrohrzucker
300 g Sahne
1 EL Amaretto

ROTE FRÜCHTE

250 g frische Kirschen, nach Belieben entsteint oder im Ganzen, ersatzweise Sauerkirschen aus dem Glas, gut abgetropft
250 g Erdbeeren, Blättchen entfernt, halbiert
125 g Himbeeren
1 EL Limettensaft
2 EL extrafeiner Zucker

geschlagene Sahne zum Servieren

Für 8 Stücke

Den Backofen auf 150 °C Umluft vorheizen. Den Boden und die Seiten einer Springform mit 22 cm Ø einfetten und mit Backpapier auskleiden. Die Form von außen zum Abdichten gut mit Aluminiumfolie umwickeln.

Die Kekse mit den Mandeln im Mixbehälter der Küchenmaschine zu feinen Krümeln verarbeiten. Die Butter hinzufügen und zum Vermischen den Intervallschalter betätigen. Die Mischung gleichmäßig in die vorbereitete Form drücken und 30 Min. in den Kühlschrank stellen.

Die dunkle und die Vollmilchschokolade im Wasserbad schmelzen, dann beiseitestellen und etwas abkühlen lassen.

Frischkäse und Sauerrahm in der Rührschüssel 1–2 Min. auf niedriger bis mittlerer Stufe glatt rühren. Die Eier einzeln zugeben, jeweils rühren bis sie vollständig untergerührt sind. Den braunen Zucker, Sahne und Amaretto hinzufügen und 1 Min. bei niedriger Stufe aufschlagen. Die geschmolzene Schokolade gründlich unterrühren.

Die Füllung auf den Krümelboden gießen und dann die Form sanft auf die Arbeitsfläche stoßen, damit Luftbläschen entweichen. Die Backform in eine große Auflaufform stellen und so viel kaltes Wasser in die Auflaufform gießen, dass die Springform 2–3 cm tief im Wasser steht. Vorsichtig in den Ofen schieben und etwa 1½ Std. backen, bis die Füllung am Rand, in der Mitte aber noch nicht ganz erstarrt ist. Im ausgeschalteten Ofen 1 Std. bei leicht geöffneter Ofentür abkühlen lassen, herausnehmen und vollständig abkühlen lassen. 1 Std. im Kühlschrank fest werden lassen.

Alle Zutaten für die Früchte in eine Kasserolle geben, zum Kochen bringen und bei niedriger bis mittlerer Temperatur 3 Min. simmern lassen, bis die Früchte weich sind, aber noch ihre Form behalten. 5 Min. in einem Sieb abtropfen lassen, dabei den Sirup auffangen. Den Sirup zurück in die Kasserolle gießen und etwa 10 Min. köcheln lassen, bis er zu einer dickflüssigen glänzenden Glasur eingekocht ist, dann vorsichtig unter die Früchte ziehen und zum vollständigen Akühlen beiseitestellen.

Den Cheesecake auf eine Tortenplatte stellen, die Springform entfernen, mit den Früchten und dem Saft dekorieren und mit geschlagener Sahne servieren.

BEEREN-MANDEL-COBBLER

Ich verwende hier frisches Obst, du kannst aber auch tiefgekühlte Himbeeren oder Blaubeeren nehmen, das schmeckt genauso gut. Während meiner USA-Reisen durfte ich diesen amerikanischen Dessertklassiker einige Male kosten, hier ist nun meine eigene Version all der köstlichen Cobblers, die ich über die Jahre genussvoll verspeist habe.

500 g Erdbeeren, Blätter entfernt, größere Exemplare halbiert
375 g Blaubeeren
250 g Himbeeren
50 g Zucker
1 TL Maisstärke
fein abgeriebene Schale und Saft von 1 Bio-Limette
1 Prise feines Salz
2 EL brauner Zucker
70 g Mandelstifte, geröstet

TEIGKRUSTE
300 g Mehl
1 TL Backpulver
1 TL Weinstein
3 EL brauner Zucker
½ TL Zimtpulver
120 g kalte Butter, gewürfelt
180 ml Buttermilch
1 EL Sahne
1 EL Amaretto (optional)
1 Prise feines Salz

Crème double zum Servieren

Für 6 Portionen

Den Backofen auf 180 °C Umluft vorheizen.

Für die Teigkruste zunächst alle trockenen Zutaten im Mixbehälter der Küchenmaschine vermischen. Die Butter hinzufügen und erneut zerkleinern, bis die Mischung groben Semmelbröseln ähnelt.

Buttermilch, Sahne und Amaretto in einer separaten Schüssel verrühren, dann zu den Teigkrümeln geben und vermischen, bis sich alle Zutaten gerade eben miteinander verbunden haben. Beiseitestellen.

Alle Beeren in eine Schüssel geben und mit Zucker, Maisstärke, Salz, Limettenschale und -saft vermischen. In eine Backform füllen (ich verwende dafür eine runde Form von 28 cm Ø mit 6 cm hohem Rand) und gleichmäßig darin verteilen. Den Teig in dicken Klecksen darauf verteilen (nicht glatt streichen, das Unregelmäßige gehört zum typischen Erscheinungsbild). Mit dem braunen Zucker und den Mandeln bestreuen, dann 40–45 Min. backen, bis die Oberfläche appetitlich goldbraun ist.

Heiß mit Crème double servieren.

UMGEKEHRTER PFLAUMEN-CHIFFON-KUCHEN

Für 8–10 Stücke

Falls frische Pflaumen gerade keine Saison haben, kannst du auch Pflaumen aus dem Glas verwenden. Diese bitte gut abtropfen lassen und zusätzlich mit Küchenpapier trocken tupfen. Der Kuchen sinkt beim Herausholen aus dem Ofen möglicherweise etwas in sich zusammen, was aber nicht schlimm ist, da er sowieso umgedreht wird.

8 Zwetschgen, entsteint und längs geviertelt
1 Zimtstange
300 g extrafeiner Zucker
4 Bio-Eier, getrennt, zzgl. 2 Bio-Eiweiß
60 ml mildes Olivenöl
100 ml Milch
1 TL Vanilleextrakt
150 g Mehl
60 g gemahlene Mandeln
1 TL Backpulver
1 Prise Weinstein

geschlagene Sahne zum Servieren

Den Backofen auf 160 °C Umluft vorheizen. Den Boden und die Seiten einer Springform mit 22 cm Ø einfetten und mit Backpapier auskleiden. Die Backform auf ein mit Aluminiumfolie ausgelegtes Backblech stellen.

Die Pflaumenviertel mit dem Anschnitt nach unten gleichmäßig und in einer Lage auf dem Boden der vorbereiteten Springform anordnen.

Die Zimtstange mit 150 g Zucker und 225 ml Wasser in einer Kasserolle bei hoher Temperatur zum Kochen bringen. 8–10 Min. einkochen, dabei die Kasserolle häufig schwenken, jedoch nicht umrühren, bis sich die Flüssigkeit goldbraun zu färben beginnt. Die Zimtstange mithilfe einer Küchenzange herausnehmen und wegwerfen. Das heiße Karamell vorsichtig über die Pflaumen in der Form gießen, sodass die nicht verrutschen.

Die Eigelbe mit Öl, Milch und Vanilleextrakt in einer großen Schüssel mit einem Holzlöffel verrühren. Das Mehl mit den gemahlenen Mandeln, Backpulver und 70 g Zucker in eine zweite Schüssel geben und vermischen. Zur Eigelbmischung geben und zu einem dicken Teig verrühren.

Die 6 Eiweiß in einer fettfreien Schüssel mit dem elektrischen Handmixer schaumig schlagen. Den restlichen Zucker esslöffelweise zugeben, jeweils gründlich aufschlagen. Sobald die Mischung dick und glänzend ist und deutlich an Volumen gewonnen hat, den Weinstein hinzufügen und mit einem großen Metalllöffel unterheben.

Ein Drittel der Eiweißmischung zum Teig geben und behutsam unterheben, dann die restliche Eiweißmischung hinzufügen und ebenfalls unterheben, bis sich alles miteinander verbunden hat.

Den Teig über die Pflaumen gießen, den Kuchen 50–60 Min. backen, bis ein mittig eingestochenes Holzstäbchen sauber wieder herauskommt.

Aus dem Ofen nehmen, 15 Min. in der Form abkühlen lassen, dann vorsichtig auf eine Tortenplatte stürzen, aufschneiden und noch warm mit geschlagener Sahne servieren.

SCHAFSMILCH-KÄSEKUCHEN MIT MANGO UND ERDNÜSSEN

Schafsmilchjoghurt wird in Reformhäusern, Bioläden und türkischen Lebensmittelläden angeboten, du kannst jedoch auch normalen Naturjoghurt nehmen. Mit der Zubereitung am Vortag beginnen: Der Kuchen muss über Nacht in der Form gekühlt werden, damit er fest genug zum Anschneiden ist.

120 g ungesalzene, nicht geröstete Erdnusskerne
250 g Vollkornkekse, grob zerkleinert
100 g zerlassene Butter, leicht abgekühlt
500 g Frischkäse
4 Bio-Eier
220 g Zucker
400 g Schafsmilchjoghurt
125 g Sahne
1 EL Mehl
2 reife Mangos, geschält, das Fruchtfleisch vom Stein geschnitten
1 EL Limettensaft

Für 8–10 Stücke

Den Backofen auf 180 °C Umluft vorheizen. Eine Springform mit 24 cm Ø einfetten und mit Backpapier auskleiden. Die Form von außen zum Abdichten gut mit Aluminiumfolie umwickeln.

Die Erdnüsse auf einem mit Backpapier ausgelegten Backblech verteilen. Im Ofen 10–12 Min. goldbraun rösten, herausnehmen, 5 Min. abkühlen lassen, dann in den Mixbehälter der Küchenmaschine geben. Die Kekse zugeben und 1–2 Min. zu feinen Bröseln verarbeiten. Die Butter zugießen und alles zerkleinern, bis sich die Zutaten gut miteinander verbunden haben. Die Mischung gleichmäßig auf dem Boden der Springform verteilen und mit einem Löffelrücken andrücken. Kuchenboden 30 Min. in den Kühlschrank stellen.

Die Ofentemperatur auf 150 °C Umluft reduzieren.

Den Frischkäse auf hoher Stufe in der Rührschüssel der Küchenmaschine aufschlagen. Die Eier einzeln hinzufügen, nach jeder Zugabe aufschlagen. Zucker, Joghurt, Sahne und Mehl hinzufügen und 1–2 Min. auf mittlerer bis hoher Stufe gründlich verrühren.

Das Mangofruchtfleisch mit dem Limettensaft im Mixer fein pürieren.

Die Frischkäsemischung auf den Krümelboden gießen und die Backform sanft auf die Arbeitsfläche stoßen, damit Luftbläschen entweichen können. Das Mangopüree spiralförmig darübergießen und mithilfe einer Gabel behutsam Linien unter die Füllung ziehen. Die Backform in eine große Auflaufform stellen und so viel kaltes Wasser in die Auflaufform gießen, dass die Springform 2–3 cm tief im Wasser steht.

Vorsichtig in den Ofen schieben und etwa 1½ Std. backen, bis die Füllung am Rand, aber in der Mitte noch nicht ganz erstarrt ist. Im ausgeschalteten Ofen bei leicht geöffneter Backofentür vollständig abkühlen lassen.

Abdecken und über Nacht kalt stellen.

BELGISCHES SHORTBREAD

Dieses Dessert habe ich vor einigen Jahren nach dem Weihnachtsessen serviert bekommen, und obwohl ich eigentlich nicht gern Datteln mag, fand ich sie hier ganz köstlich! Der krümelige Teig, die süßen, klebrigen Datteln und die knusprigen Mandelstifte – davon kann ich einfach nicht genug bekommen …

125 g kalte Butter, gewürfelt
75 g extrafeiner Zucker
225 g Mehl
1 ½ TL Backpulver
¼ TL Meersalz
1 Bio-Ei, getrennt
1–2 TL Milch (optional)
100 g Himbeer- oder Pflaumenkonfitüre
100 g Medjoul-Datteln oder Soft-Datteln, entkernt und gehackt
40 g Mandelstifte

Für 8 Stücke

Den Backofen auf 150 °C Umluft vorheizen. Eine Tarteform mit Hebeboden und 25 cm Ø einfetten.

Die Butter mit Zucker, Mehl, Backpulver und dem Salz in der Küchenmaschine verrühren, bis die Mischung feinen Semmelbröseln ähnelt. Das Eigelb zugeben und den Intervallschalter betätigen, bis sich die Mischung gerade eben verbindet (etwas Milch hinzufügen, falls die Mischung zu trocken sein sollte). Auf die bemehlte Arbeitsfläche geben, mit den Händen zu einem glatten Teig verarbeiten und zu einer Kugel formen. In Frischhaltefolie wickeln und 30 Min. kühlen.

Den Teig halbieren. Eine Portion zwischen zwei Bögen Backpapier rund ausrollen, sodass der Teig gut in die Backform passt. Es muss kein perfekter Kreis sein, da sich der Teig ohnehin beim Backen zusammenzieht. Den Teig locker über eine Backrolle wickeln und auf diese Weise in die Form heben, dann mit den Fingern in die Form drücken.

Die Konfitüre in eine Schüssel füllen und mit einer Gabel zerdrücken und rühren, bis sie weich und geschmeidig geworden ist. Die Konfitüre gleichmäßig auf den Teig streichen und mit den gehackten Datteln belegen. Die zweite Teigportion ebenfalls ausrollen und auf die Datteln legen. Das Eiweiß leicht aufschlagen und den Teig damit bestreichen, dann mit den Mandelstiften bestreuen, diese leicht andrücken. Im Ofen 40–45 Min. backen, in der Form oder auf einem Kuchengitter vollständig abkühlen lassen und zum Servieren in Tortenstücke schneiden.

HINTER DEN KULISSEN

Alice
2
Katie
ANDY
GIRL FRIEND
PANTONE

You will need ...

1 kg uncooked prawns, peeled an[illegible]
tails intact
Juice of 2 limes
Sea salt and freshly ground black pepper
2 limes, halved
Extra lime quarters and crusty bread, to serve

For the Thai dipping sauce ...

2 cloves garlic, crushed
2 tablespoons fish sauce
3 tablespoons lime juice
2 tablespoons brown sugar
½ small red onion, finely diced
1 long red chilli, finely chopped
1 long green chilli, finely chopped
1 tablespoon chopped coriander
1 tablespoon chopped mint
1 x 1 cm piece ginger, finely grated
Pinch sea salt and freshly ground black pepper

17 THURSDAY [17-348]

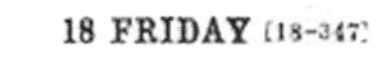

18 FRIDAY [18-347]

SOUP €5
CED CARROT
& FENNEL
VEG €6.50
ANDWICH
T COURGETTE,
TA, ROAST TOMATO,
REEN PESTO
MEAT €7
SANDWICH
RIZO, ROAST RED
N, TZATZIKI
SPECIALS
UFFED AUBERGINE
H FETA &
Y LENTILS &
SALAD €9.50

Ein riesengroßer Dank gilt allen Menschen, die mir im vergangenen Jahr dabei geholfen haben, dieses Buch zu entwickeln.

Am wichtigsten: Danke an meine unglaubliche Assistentin Alice Cannan. Wenn es dich nicht gäbe, hätte es vermutlich auch dieses Buch gar nicht gegeben. Du bist eine wunderbare Assistentin und Freundin. Danke für all die Fahrten zum Supermarkt, die ganze Spülerei und das Gemüseschnippeln, das Kochen, dass du mir am Set Dinge gereicht hast, noch bevor mir klar war, dass ich sie brauchte, und dafür, dass du Ruhe in oft extrem stressige Situationen gebracht hast.

Danke an alle bei Penguin Australien: Julie, Virgina, Katrina, Evi O, Daniel und Elena. Auch hier gilt: Ohne euren Input würden wir diese Zeilen wohl gar nicht lesen. Danke an Nick Banbury, höchstwahrscheinlich DER weltbeste Rezeptetester! Danke, Nick, für deine Umsicht und deinen Perfektionismus: Ich habe wahnsinnig viel von dir gelernt. Ich freue mich riesig, dass ich mit jemandem zusammenarbeiten durfte, der so viel über alles weiß, was mit Speisen zu tun hat.

Danke an meine Freunde zuhause in Irland, in NYC, anderswo auf dem Globus und hier in Australien, ihr wisst schon, dass ihr gemeint seid. Ihr habt mich während des gesamten Entstehungsprozesses des Buchs so toll unterstützt und auch in der für mich sehr harten Zeit zu Beginn des Jahres 2014.

Danke an meine „Rozelle-Gang": Michelle, Andy und Colin — eure dauerhafte Freundschaft und Unterstützung bedeuten mir alles. Ohne euch drei wäre ich verloren.

Danke an meine unglaublichen Freunde im Barossa Valley: Jan und John Angas, Michael Wohlstadt, Caroline und Donna, David und Jennifer, Fiona und Mel — für all eure Hilfe, eure Unterstützung und eure Gastfreundschaft. Ich freu mich schon auf das nächste Glas/die nächste Flasche Rotwein auf Hutton Vale.

Danke nochmals an Madeleine Mouton, dass du da warst, als ich dich gebraucht habe. Danke an Lou Brassil für deine tolle Stylinghilfe. Danke an alle super „Wochenendlunch mit den Mädels"-Blogleser — eure Begeisterung und euer Esprit an diesem Tag waren unschlagbar und ich habe das Treffen mit euch sehr genossen.

Danke an Sophie, meine Fotoproduzentin, dafür, dass sie mir so eine gute und witzige Freundin ist und inmitten meines engen Zeitplans für das Buch die Aufgaben für mich jongliert.

Danke an Georgie und alle Mädels bei Major & Tom: Nochmal, Georgie, deine Untersützung und deine Freundschaft schätze ich sehr.

Danke an Vlad, den coolsten Kurier in Sydney. Requisitenbeschaffung und -rückgabe wären die Hölle gewesen ohne deine relaxte „Gar kein Problem!"-Einstellung.

Danke an Chris, den Metzger bei Darling Street Meats dafür, dass du mich mit dem besten Fleisch in der ganzen Stadt versorgst und es mir immer perfekt vorbereitest. An alle oben Erwähnten: Dieses Buch ist Euch gewidmet!

Danke an meine Schwester Julie, an Claudio, Erika, Colm, Leonie und Tim — ich liebe euch, immer und ewig. Danke von ganzem Herzen. xx

A
Agavendicksaft 10
Ahornsirup
  Gefülltes Schweinefilet mit Cidre und Ahornsirup 118
Amalfiküste, Italien 146
Ananas
  Katies Pizza Hawaii 194
Angas, Jan und John 33, 35
Apfel
  Apfel-Brombeer-Schnitten mit Haselnuss-Streuseln 274
  Apfel-Mandel-Schnecken 27
  Flautas mit Schweinefleisch und cremigem Apfel-Radieschen-Krautsalat 114
  Gefülltes Schweinefilet mit Cidre und Ahornsirup 118
  Pavlova mit Gewürzäpfeln und Salzkaramell-Sauce 265
  Räucherforellen-Eier-Kartoffel-Salat 50
  Super-Smoothies 12
  Würzige Kürbis-Apfel-Suppe mit Speck 68
Aubergine
  Auberginen-Mozzarella-Lasagne 206
  Baby-Aubergine mit Harissa und Knoblauch 175
Avocado
  O'Shockos Guaco mit knusprigen Limetten-Tortillachips 232

B
Baby-Aubergine mit Harissa und Knoblauch 175
Bacon siehe Speck
Bagel
  Körner-Bagels mit Räucherlachs 211
Balsamico
  Biskuittorte mit Limoncello-Balsamico-Erdbeeren 280
  kochen mit 59
Barbecue-Sauce 194
Barossa Valley, SA 32–41, 105, 220
Basilikum
  Basilikum-Jalapeño-Margaritas 247
  Grüne Sauce 196
  Katies Nudelsalat 63
  Kräuter-Bulgur mit halb getrockneten Tomaten 49
  Spaghetti mit Mandel-Minze-Basilikum-Pesto 203
Beer, Saskia 35
Beeren *siehe auch* Brombeeren, Erdbeeren, Heidelbeeren
  Apfel-Brombeer-Schnitten mit Haselnuss-Streuseln 274
  Beeren-Mandel-Cobbler 288
  Double-Choc-Cheesecake mit roten Früchten 287
  Katies Müsli mit Heidelbeerkompott und Joghurt 10
Belgisches Shortbread 294
Bier
  Zwiebel-Bier-Chutney 128
Birnen
  Katies Leberpastete mit Rhabarberpaste und glasierten Birnen 226
Biskuit
  Biskuittorte mit Limoncello-Balsamico-Erdbeeren 280
Blätterteig 27
Blauschimmelkäse-Mayo 90
Blumenkohl
  Blumenkohl in würziger Käsesauce mit Knusperkruste 158
  Süßkartoffel-Blumenkohl-Curry 168
Bohnen
  Dreierlei Bohnen mit Kartoffelkruste 173
  Edamame mit Mirin, Salz und Chili 223
  Rauchiges Chili con Carne mit schwarzen Bohnen 124
Bologna, Italien 145
Brathähnchen mit Speck-Grünkohl-Mandel-Füllung 105
Brezeln mit Schokolade und Meersalz 241
Brokkoli
  Grüne Sauce 196
Brombeeren
  Apfel-Brombeer-Schnitten mit Haselnuss-Streuseln 274
Brot
  Feta-Crostini mit Zucchini und Schinken 231
  Focaccia mit karamellisierten Zwiebeln, Fenchelsamen und Tomaten 213
  Garnelen-Crostini mit Tomaten-Champagner-Sauce 229
  Walnussbrot 209
  Wasabi-Grissini mit Lachsdip 225
Brownies
  Super-Schoko-Brownies mit Salzkaramell und Kirschen 283
Buchweizen
  Galettes mit Spinat und Ricotta 30
  Schoko-Kirsch-Pfannküchlein 16
Bulgur
  Kräuter-Bulgur mit halb getrockneten Tomaten 49
  Mini-Burger mit Frikadelle und Tomaten-Chili-Sauce 236
  Mini-Burger mit Hummer und Erbsen-Mayo 238
  Trüffel-Burger mit Pancetta und Crème-fraîche-Pilzen 130
Buttermilch-Eiscreme 271
Byrne, Kevin 81

C
Capri, Italien 146
Chiasamen
  Chia-Mürbeteig 139
  Chiasamen-Quiche mit Regenbogenforelle und Kartoffeln 139
  Katies Nudelsalat 63
  Salat mit Mais, schwarzem Reis und Chiasamen 67
Chili
  Basilikum-Jalapeño-Margaritas 247
  Edamame mit Mirin, Salz und Chili 223
  Garnelen-Curry mit Chili und Tamarinde 133
  Mini-Burger mit Frikadelle und Tomaten-Chili-Sauce 236
  Rauchiges Chili con Carne mit schwarzen Bohnen 124
  Rippchen mit Chipotle, Limette und Jalapeño 117
  Spaghetti mit Krebsfleisch, Zitrone und Chili 205
Chipotle
  Mini-Burger mit Krabbenküchlein und Chipotle-Mayo-Krautsalat 239
  Rindfleisch und Eier nach mexikanischer Art 28
  Rippchen mit Chipotle, Limette und Jalapeño 117
Chorizo
  Chorizo-Rösti mit Enteneiern und Sardellenmayonnaise 22
  Chorizo-Tomaten-Tarte 112
Chutney
  Zwiebel-Bier-Chutney 128
Cidre
  Gefülltes Schweinefilet mit Cidre und Ahornsirup 118
Cobbler
  Beeren-Mandel-Cobbler 288
Cocktails
  Basilikum-Jalapeño-Margaritas 247
  Himbeer-Granatapfel-Martini 246
  Orangen-Koriander-Margaritas 242
  The Red Baron 243
Cookies
  Pinienkern-Cookies mit Zitrone und Mohn 284
Couscous-Salat mit würzigen Kichererbsen und Granatapfel 65
Crêpe siehe Pfannkuchen
Crostini
  Feta-Crostini mit Zucchini und Schinken 231
  Garnelen-Crostini mit Tomaten-Champagner-Sauce 229
Curry
  Garnelen-Curry mit Chili und Tamarinde 133
  Süßkartoffel-Blumenkohl-Curry 168

D
Das Echte-Männer-Sandwich 128
Datteln
Belgisches Shortbread 294
Desserts *siehe auch* Friands, Kuchen, Pudding, Torte
Beeren-Mandel-Cobbler 288
Mokkapudding mit integrierter Sauce 278
Pavlova mit Gewürzäpfeln und Salzkaramell-Sauce 265
Vanille-Panna-Cotta mit Rhabarber-Rosen-Kompott 266
Dip
Lachsdip 225
Süß-salziger Dip 98
Double-Choc-Cheesecake mit roten Früchten 287
Dreierlei Bohnen mit Kartoffelkruste 173
Dressings
cremig-süßes Dressing 52
Drinks *siehe auch* Cocktails
Basilikum-Jalapeño-Margaritas 247
Himbeer-Granatapfel-Martini 246
Super-Smoothies 12
The Red Baron 243
Dublin, Irland 80–81

E
Edamame mit Mirin, Salz und Chili 223
Ei
Chiasamen-Quiche mit Regenbogenforelle und Kartoffeln 139
Chorizo-Rösti mit Enteneiern und Sardellenmayonnaise 22
Pilz-Spinat-Omelett mit Käse 19
Räucherforellen-Eier-Kartoffel-Salat 50
Rindfleisch und Eier nach mexikanischer Art 28
Sardinentoasts mit Estragon-Zitronen-Mayonnaise 15
Überbackene Eier in Sauerrahm-Mürbeteig-Tartelettes 25
Eingelegte Gurke 54
Eingelegte Zwiebeln 235
Eiscreme
Buttermilch-Eiscreme 271
Schoko-Haselnuss-Eis 270
Emmersalat mit Feta, Zitrone und Pinienkernen 60
Entenleber
Katies Leberpastete mit Rhabarberpaste und glasierten Birnen 226
Erbsen
Mini-Burger mit Hummer und Erbsen-Mayo 238
Erdbeeren
Biskuittorte mit Limoncello-Balsamico-Erdbeeren 280
Estragon
Rosa-Grapefruit-Friands mit Estragon und Zimt 269
Sardinentoasts mit Estragon-Zitronen-Mayonnaise 15

F
Farrell, John 81
Feigen
Salat mit rohem Schinken, Feigen und gegrillten Pfirsichen 52
Fenchel
Focaccia mit karamellisierten Zwiebeln, Fenchelsamen und Tomaten 213
Feta
Emmersalat mit Feta, Zitrone und Pinienkernen 60
Feta-Crostini mit Zucchini und Schinken 231
Filet Wellington 126
Fisch *siehe auch* Lachs, Räucherlachs
Chiasamen-Quiche mit Regenbogenforelle und Kartoffeln 139
Fischsuppe mit Venusmuscheln 73
Fisch-Tacos mit schwarzer Quinoa und Mais-Salsa 137
Gefüllter Schnapper aus dem Ofen 140
Räucherforellen-Eier-Kartoffel-Salat 50
Regenbogenforelle mit Zitronen-Champagner-Sauce 134
Sardinentoasts mit Estragon-Zitronen-Mayonnaise 15
Flautas mit Schweinefleisch und cremigem Apfel-Radieschen-Krautsalat 114
Focaccia mit karamellisierten Zwiebeln, Fenchelsamen und Tomaten 213
Forelle *siehe* Fisch
Frikadelle
Mini-Burger mit Frikadelle und Tomaten-Chili-Sauce 236
Frischkäse
Glutenfreier Zitronen-Kokos-Kuchen 276
Körner-Bagels mit Räucherlachs 211
Pinienkern-Cookies mit Zitrone und Mohn 284
Füllung
Pflaumen-Apfel-Füllung 118
Speck-Grünkohl-Mandel-Füllung 105

G
Galettes mit Spinat und Ricotta 30
Garnelen
Nudelsalat mit Garnelen und Gurke 54
Garnelen-Crostini mit Tomaten-Champagner-Sauce 229
Garnelen-Curry mit Chili und Tamarinde 133
Geflügel *siehe* Hähnchen
Gefüllter Schnapper aus dem Ofen 140
Gefülltes Schweinefilet mit Cidre und Ahornsirup 118
Gemüse *siehe* einzelne Gemüse
Gemüsesalat mit Ziegenkäse und Haselnüssen 164
Gepfeffertes Rindfleisch mit knusprigen Nudeln 59
Gewürze siehe auch Chili, Harissa
Blumenkohl in würziger Käsesauce mit Knusperkruste 158
Gewürzäpfel 265
Lammkoteletts mit indischen Gewürzen 106
Pavlova mit Gewürzäpfeln und Salzkaramell-Sauce 265
Pikante Gewürzmandeln 220
Rosa-Grapefruit-Friands mit Estragon und Zimt 269
Würzige Kürbis-Apfel-Suppe mit Speck 68
Würziges Zitronenlamm 110
Glutenfrei
Glutenfreier Zitronen-Kokos-Kuchen 276
Glutenfreies Mehl 276
Granatapfel
Couscous-Salat mit würzigen Kichererbsen und Granatapfel 65
Granatapfel-Hähnchen 97
Himbeer-Granatapfel-Martini 246
Grapefruit
Rosa-Grapefruit-Friands mit Estragon und Zimt 269
Gratin
Sellerie-Kartoffel-Gratin 163
Grillhähnchen mit Limette und Kräutern 100
Grissini
Wasabi-Grissini mit Lachsdip 225
Grüne Bohnen
Gemüsesalat mit Ziegenkäse und Haselnüssen 164
Grüne Pizza mit Pilzen 196
Grüne Sauce 196
Grünkohl
Brathähnchen mit Speck-Grünkohl-Mandel-Füllung 105
Grüne Sauce 196
Spinat-Grünkohl-Pesto 128
Super-Smoothies 12
Guacamole
O'Shockos Guaco mit knusprigen Limetten-Tortillachips 232
Gurke
Nudelsalat mit Garnelen und Gurke 54

H

Hähnchen
- Brathähnchen mit Speck-Grünkohl-Mandel-Füllung 105
- Granatapfel-Hähnchen 97
- Grillhähnchen mit Limette und Kräutern 100
- Hähnchen à la Buffalo mit Blauschimmelkäse-Mayo 90
- Knusperhähnchen mit süß-salzigem Dip 98
- Tacos mit knusprigem Hähnchen 103

Hähnchenleber
- Katies Leberpastete mit Rhabarberpaste und glasierten Birnen 226

Harissa
- Baby-Aubergine mit Harissa und Knoblauch 175

Haselnüsse
- Apfel-Brombeer-Schnitten mit Haselnuss-Streuseln 274
- Gemüsesalat mit Ziegenkäse und Haselnüssen 164
- Katies Müsli mit Heidelbeerkompott und Joghurt 10
- Schoko-Haselnuss-Eis 270

Heidelbeeren
- Katies Müsli mit Heidelbeerkompott und Joghurt 10

Himbeer-Granatapfel-Martini 246

Hot Sauce 30, 90, 103

Hummer
- Mini-Burger mit Hummer und Erbsen-Mayo 238

I

Ingwer
- Karotten-Ingwer-Suppe nach New Yorker Art 70

Italien 142—151, 198

J

Jalapeño
- Basilikum-Jalapeño-Margaritas 247
- Rippchen mit Chipotle, Limette und Jalapeño 117

Joghurt
- Katies Müsli mit Heidelbeerkompott und Joghurt 10
- Schafsmilch-Käsekuchen mit Mango und Erdnüssen 293

K

Kapern
- Gefüllter Schnapper aus dem Ofen 140
- Spaghetti mit Speck, Kapern und Minze 198

Karamellisierte Zwiebeln
- Focaccia mit karamellisierten Zwiebeln, Fenchelsamen und Tomaten 213
- Quesadillas mit Pilzen und karamellisierten Zwiebeln 176

Karotte
- Cremiger Krautsalat 103
- Gemüsesalat mit Ziegenkäse und Haselnüssen 164
- Karotten-Ingwer-Suppe nach New Yorker Art 70

Kartoffel
- Chiasamen-Quiche mit Regenbogenforelle und Kartoffeln 139
- Chorizo-Rösti mit Enteneiern und Sardellenmayonnaise 22
- Dreierlei Bohnen mit Kartoffelkruste 173
- Fischsuppe mit Venusmuscheln 73
- Katies Kartoffelpüree nach Pariser Art 166
- Räucherforellen-Eier-Kartoffel-Salat 50
- Sellerie-Kartoffel-Gratin 163
- Stampfkartoffeln mit Rosmarin 160

Käse
- Auberginen-Mozzarella-Lasagne 206
- Blumenkohl in würziger Käsesauce mit Knusperkruste 158
- Emmersalat mit Feta, Zitrone und Pinienkernen 60
- Feta-Crostini mit Zucchini und Schinken 231
- Galettes mit Spinat und Ricotta 30
- Hähnchen à la Buffalo mit Blauschimmelkäse-Mayo 90
- Katies Pizza Hawaii 194
- Pilz-Pekannuss-Risotto mit Ziegenkäse 170
- Pilz-Spinat-Omelett mit Käse 19
- Quesadillas mit Pilzen und karamellisierten Zwiebeln 176
- Salat mit rohem Schinken, Feigen und gegrillten Pfirsichen 52
- siehe auch Feta, Ziegenkäse
- Tomaten-Zucchiniblüten-Pizza mit Salami 193
- Überbackene Eier in Sauerrahm-Mürbeteig-Tartelettes 25

Käsekuchen
- Double-Choc-Cheesecake mit roten Früchten 287
- Schafsmilch-Käsekuchen mit Mango und Erdnüssen 293

Käsesauce
- Blumenkohl in würziger Käsesauce mit Knusperkruste 158

Katies Kartoffelpüree nach Pariser Art 166

Katies Leberpastete mit Rhabarberpaste und glasierten Birnen 226

Katies Müsli mit Heidelbeerkompott und Joghurt 10

Katies Nudelsalat 63

Katies Pizza Hawaii 194

Kichererbsen
- Couscous-Salat mit würzigen Kichererbsen und Granatapfel 65
- Linsen-Kichererbsen-Suppe mit Schmortomaten 74
- Quinoa-Trauben-Salat 56

Kidneybohnen
- Dreierlei Bohnen mit Kartoffelkruste 173
- Rauchiges Chili con Carne mit schwarzen Bohnen 124

Kirschen
- Schoko-Kirsch-Pfannküchlein 16
- Super-Schoko-Brownies mit Salzkaramell und Kirschen 283

Kiwi
- Super-Smoothies 12

Knoblauch
- Baby-Aubergine mit Harissa und Knoblauch 175

Knusperhähnchen mit süß-salzigem Dip 98

Knusperkruste
- Blumenkohl in würziger Käsesauce mit Knusperkruste 158
- Glutenfreier Zitronen-Kokos-Kuchen 276
- Kokosmehl 276

Kompott
- Heidelbeerkompott 10
- Rhabarber-Rosen-Kompott 266

Koriander
- Orangen-Koriander-Margaritas 242

Körner
- Katies Müsli 10
- Körner-Bagels mit Räucherlachs 211

Krabben
- Mini-Burger mit Krabbenküchlein und Chipotle-Mayo-Krautsalat 239

Kräuter *siehe auch* Basilikum, Estragon, Rosmarin
- Grillhähnchen mit Limette und Kräutern 100
- Kräuter-Bulgur mit halb getrockneten Tomaten 49

Krautsalat
- Chipotle-Mayo-Krautsalat 239
- Cremiger Apfel-Radieschen-Krautsalat 114
- Cremiger Krautsalat 103

Krebsfleisch
- Spaghetti mit Krebsfleisch, Zitrone und Chili 205

Kuchen
- Double-Choc-Cheesecake mit roten Früchten 287
- Glutenfreier Zitronen-Kokos-Kuchen 276
- Rosa-Grapefruit-Friands mit Estragon und Zimt 269
- Schafsmilch-Käsekuchen mit Mango und Erdnüssen 293
- Umgekehrter Pflaumen-Chiffon-Kuchen 290

Kürbis
Würzige Kürbis-Apfel-Suppe mit Speck 68

L
Lachs *siehe auch* Räucherlachs
Wasabi-Grissini mit Lachsdip 225
Lamm
Lammkoteletts mit indischen Gewürzen 106
Pie mit geschmorter Lammkeule 109
Würziges Zitronenlamm 110
Lasagne
Auberginen-Mozzarella-Lasagne 206
Leber
Katies Leberpastete mit Rhabarberpaste und glasierten Birnen 226
Limette
Grillhähnchen mit Limette und Kräutern 100
Himbeer-Granatapfel-Martini 246
O'Shockos Guaco mit knusprigen Limetten-Tortillachips 232
Rippchen mit Chipotle, Limette und Jalapeño 117
Limoncello-Balsamico-Erdbeeren 280
Linsen
Linsen-Kichererbsen-Suppe mit Schmortomaten 74
Süßkartoffel-Blumenkohl-Curry 168

M
Mais
Fisch-Tacos mit schwarzer Quinoa und Mais-Salsa 137
Nudelsalat mit Garnelen und Gurke 54
Salat mit Mais, schwarzem Reis und Chiasamen 67
Mandarinen
Mandarinen-Pistazien-Muffins mit Mohn 20
Mandeln
Apfel-Mandel-Schnecken 27
Spaghetti mit Mandel-Minze-Basilikum-Pesto 203
Beeren-Mandel-Cobbler 288
Brathähnchen mit Speck-Grünkohl-Mandel-Füllung 105
Pikante Gewürzmandeln 220
Mango
Schafsmilch-Käsekuchen mit Mango und Erdnüssen 293
Margarita
Basilikum-Jalapeño-Margaritas 247
Orangen-Koriander-Margaritas 242
Marinade
Granatapfelsirup-Marinade 97
Indische Gewürzmarinade 106
Soja-Ingwer-Marinade 54
Martini
Himbeer-Granatapfel-Martini 246
Mayonnaise
Blauschimmelkäse-Mayo 90
Chipotle-Mayo 239
Cidre-Mayo 50
Erbsen-Mayo 238
Estragon-Zitronen-Mayo 15
Sardellenmayo 22
Meeresfrüchte siehe Garnelen, Hummer, Krabben & Krebse, Venusmuscheln
Meringue
Pavlova mit Gewürzäpfeln und Salzkaramell-Sauce 265
Mikro-Kräuter 139
Mini-Burger
mit Frikadelle und Tomaten-Chili-Sauce 236
mit Hummer und Erbsen-Mayo 238
mit Krabbenküchlein und Chipotle-Mayo-Krautsalat 239
Minze
Kräuter-Bulgur mit halb getrockneten Tomaten 49
Spaghetti mit Mandel-Minze-Basilikum-Pesto 203
Spaghetti mit Speck, Kapern und Minze 198
Super-Smoothies 12
Mirin
Edamame mit Mirin, Salz und Chili 223
Mohn
Mandarinen-Pistazien-Muffins mit Mohn 20
Pinienkern-Cookies mit Zitrone und Mohn 284
Mokkapudding mit integrierter Sauce 278
Mozzarella
Auberginen-Mozzarella-Lasagne 206
Muffins
Mandarinen-Pistazien-Muffins mit Mohn 20
Mürbeteig
Chia-Mürbeteig
Sauerrahm-Mürbeteig 235
Müsli
Katies Müsli mit Heidelbeerkompott und Joghurt 10

N
New York 2
Chorizo-Rösti mit Enteneiern und Sardellenmayonnaise 22
Hähnchen à la Buffalo mit Blauschimmelkäse-Mayo 90
Karotten-Ingwer-Suppe nach New Yorker Art 70
Mini-Burger mit Frikadelle und Tomaten-Chili-Sauce 236
Nudelsalat mit Garnelen und Gurke 54
Nüsse *siehe auch* Haselnüsse, Mandeln, Pekannüsse
Mandarinen-Pistazien-Muffins mit Mohn 20
Pilz-Pekannuss-Risotto mit Ziegenkäse 170
Salat mit rohem Schinken, Feigen und gegrillten Pfirsichen 52
Schafsmilch-Käsekuchen mit Mango und Erdnüssen 293
Walnussbrot 209

O
O'Shaughnessy, Ian 232
O'Shockos Guaco mit knusprigen Limetten-Tortillachips 232
Omelett
Pilz-Spinat-Omelett mit Käse 19
Orangen-Koriander-Margaritas 242

P
Pancetta
Katies Nudelsalat 63
Trüffel-Burger mit Pancetta und Crème-fraîche-Pilzen 130
Panna Cotta
Vanille-Panna-Cotta mit Rhabarber-Rosen-Kompott 266
Pasta
Auberginen-Mozzarella-Lasagne 206
Gepfeffertes Rindfleisch mit knusprigen Nudeln 59
Katies Nudelsalat 63
Nudelsalat mit Garnelen und Gurke 54
Ragout vom Schmorschwein 121
Pastys mit Schweinefleisch und Pickles 235
Spaghetti mit Krebsfleisch, Zitrone und Chili 205
Spaghetti mit Mandel-Minze-Basilikum-Pesto 203
Spaghetti mit Speck, Kapern und Minze 198
Pastete
Katies Leberpastete mit Rhabarberpaste und glasierten Birnen 226
Pavlova mit Gewürzäpfeln und Salzkaramell-Sauce 265
Pesto
Mandel-Minze-Basilikum-Pesto 203
Spinat-Grünkohl-Pesto 128
Pfannkuchen
Filet Wellington 126
Galettes mit Spinat und Ricotta 30
Schoko-Kirsch-Pfannküchlein 16
Pfirsich
Salat mit rohem Schinken, Feigen und gegrillten Pfirsichen 52
Pflaumen
Gefülltes Schweinefilet mit Cidre und Ahornsirup 118
Umgekehrter Pflaumen-Chiffon-Kuchen 290

Pickles
Pastys mit Schweinefleisch und Pickles 235
Pie mit geschmorter Lammkeule 109
Pikante Gewürzmandeln 220
Pilze
Filet Wellington 126
Grüne Pizza mit Pilzen 196
Pilz-Pekannuss-Risotto mit Ziegenkäse 170
Pilz-Spinat-Omelett mit Käse 19
Quesadillas mit Pilzen und karamellisierten Zwiebeln 176
Trüffel-Burger mit Pancetta und Crème-fraîche-Pilzen 130
Pinienkern-Cookies mit Zitrone und Mohn 284
Pinienkerne
Emmersalat mit Feta, Zitrone und Pinienkernen 60
Katies Nudelsalat 63
Pinienkern-Cookies mit Zitrone und Mohn 284
Pizza
Grüne Pizza mit Pilzen 196
Katies Pizza Hawaii 194
Pizzasauce 193
Pizzateig 193
Tomaten-Zucchiniblüten-Pizza mit Salami 193
Positano, Italien 146
Prosciutto
Salat mit rohem Schinken, Feigen und gegrillten Pfirsichen 52
Pudding
Mokkapudding mit integrierter Sauce 278
Püree
Katies Kartoffelpüree nach Pariser Art 166

Q

Quesadillas mit Pilzen und karamellisierten Zwiebeln 176
Quiche
Chiasamen-Quiche mit Regenbogenforelle und Kartoffeln 139
Quinoa
Fisch-Tacos mit schwarzer Quinoa und Mais-Salsa 137
Katies Müsli mit Heidelbeerkompott und Joghurt 10
Knusperhähnchen mit süß-salzigem Dip 98
Quinoa-Trauben-Salat 56

R

Radieschen
Flautas mit Schweinefleisch und cremigem Apfel-Radieschen-Krautsalat 114
Ragout vom Schmorschwein 121
Räucherforellen-Eier-Kartoffel-Salat 50
Räucherlachs
Körner-Bagels mit Räucherlachs 211
Lachsdip 225
Rauchiges Chili con Carne mit schwarzen Bohnen 124
Regenbogenforelle mit Zitronen-Champagner-Sauce 134
Reis
Pilz-Pekannuss-Risotto mit Ziegenkäse 170
Salat mit Mais, schwarzem Reis und Chiasamen 67
Rhabarber
Katies Leberpastete mit Rhabarberpaste und glasierten Birnen 226
Vanille-Panna-Cotta mit Rhabarber-Rosen-Kompott 266
Ricotta
Galettes mit Spinat und Ricotta 30
Rindfleisch
Das Echte-Männer-Sandwich 128
Filet Wellington 126
Gepfeffertes Rindfleisch mit knusprigen Nudeln 59
Mini-Burger mit Frikadelle und Tomaten-Chili-Sauce 236
Rauchiges Chili con Carne mit schwarzen Bohnen 124
Rindfleisch und Eier nach mexikanischer Art 28
Trüffel-Burger mit Pancetta und Crème-fraîche-Pilzen 130
Rippchen mit Chipotle, Limette und Jalapeño 117
Risotto
Pilz-Pekannuss-Risotto mit Ziegenkäse 170
Rosa-Grapefruit-Friands mit Estragon und Zimt 269
Rose
Vanille-Panna-Cotta mit Rhabarber-Rosen-Kompott 266
Rosmarin
Stampfkartoffeln mit Rosmarin 160
Rösti
Chorizo-Rösti mit Enteneiern und Sardellenmayonnaise 22
Rote Bete
Gemüsesalat mit Ziegenkäse und Haselnüssen 164
Rote Früchte
Double-Choc-Cheesecake mit roten Früchten 287
Rotkohl *siehe* Krautsalat

S

Salami
Tomaten-Zucchiniblüten-Pizza mit Salami 193
Salat *siehe auch* Krautsalat
Couscous-Salat mit würzigen Kichererbsen und Granatapfel 65
Emmersalat mit Feta, Zitrone und Pinienkernen 60
Flautas mit Schweinefleisch und cremigem Apfel-Radieschen-Krautsalat 114
Gemüsesalat mit Ziegenkäse und Haselnüssen 164
Katies Nudelsalat 63
Kräuter-Bulgur mit halb getrockneten Tomaten 49
Krautsalat 103
Nudelsalat mit Garnelen und Gurke 54
Quinoa-Trauben-Salat 56
Räucherforellen-Eier-Kartoffel-Salat 50
Salat mit Mais, schwarzem Reis und Chiasamen 67
Salat mit rohem Schinken, Feigen und gegrillten Pfirsichen 52
Salsa
Ananas-Salsa 194
Mais-Salsa 137
Salz
Brezeln mit Schokolade und Meersalz 241
Trüffelsalz 130
Salzkaramell
Pavlova mit Gewürzäpfeln und Salzkaramell-Sauce 265
Super-Schoko-Brownies mit Salzkaramell und Kirschen 283
Sandwich
Das Echte-Männer-Sandwich 128
Sardellen & Sardinen
Chorizo-Rösti mit Enteneiern und Sardellenmayonnaise 22
Sardinentoasts mit Estragon-Zitronen-Mayonnaise 15
Sauce, süß
Mokkasauce278
Rote Früchte 287
Salzkaramell-Sauce 265
Sauce, herzaft, *siehe auch* Dip
Barbecue-Sauce 194
Grüne Sauce 196
Käsesauce 158
Pizzasauce 193
Sauce nach Buffalo-Art 90
Tomaten-Champagner-Sauce 229
Tomaten-Chili-Sauce 236
Zitronen-Champagner-Sauce 134
Sauerkirschen *siehe* Kirschen
Sauerrahm-Mürbeteig
Chiamürbeteig 139
Schafsmilch-Käsekuchen mit Mango und Erdnüssen 293
Schinken
Feta-Crostini mit Zucchini und Schinken 231
Katies Pizza Hawaii 194
Salat mit rohem Schinken, Feigen und gegrillten Pfirsichen 52
Schnapper
Gefüllter Schnapper aus dem Ofen 140

Schokolade
Brezeln mit Schokolade und Meersalz 241
Double-Choc-Cheesecake mit roten Früchten 287
Mokkapudding mit integrierter Sauce 278
Schoko-Haselnuss-Eis 270
Schoko-Kirsch-Pfannküchlein 16
Super-Schoko-Brownies mit Salzkaramell und Kirschen 283
Schweinefleisch
Chorizo-Rösti mit Enteneiern und Sardellenmayonnaise 22
Chorizo-Tomaten-Tarte 112
Flautas mit Schweinefleisch und cremigem Apfel-Radieschen-Krautsalat 114
Gefülltes Schweinefilet mit Cidre und Ahornsirup 118
Mini-Burger mit Frikadelle und Tomaten-Chili-Sauce 236
Pastys mit Schweinefleisch und Pickles 235
Ragout vom Schmorschwein 121
Rippchen mit Chipotle, Limette und Jalapeño 117
Sellerie-Kartoffel-Gratin 163
Shortbread
Belgisches Shortbread 294
Smoothie
Super-Smoothies 12
Spaghetti
mit Krebsfleisch, Zitrone und Chili 205
mit Mandel-Minze-Basilikum-Pesto 203
mit Speck, Kapern und Minze 198
Speck *siehe auch* Pancetta
Brathähnchen mit Speck-Grünkohl-Mandel-Füllung 105
Gefüllter Schnapper aus dem Ofen 140
Spaghetti mit Speck, Kapern und Minze 198
Würzige Kürbis-Apfel-Suppe mit Speck 68
Spinat
Dreierlei Bohnen mit Kartoffelkruste 173
Galettes mit Spinat und Ricotta 30
Pilz-Spinat-Omelett mit Käse 190
Spinat-Grünkohl-Pesto 128
Super-Smoothies 12
Stampfkartoffeln mit Rosmarin 160
Steak
Das Echte-Männer-Sandwich 128
Super-Schoko-Brownies mit Salzkaramell und Kirschen 283
Super-Smoothies 12
Suppe
Fischsuppe mit Venusmuscheln 73
Karotten-Ingwer-Suppe nach New Yorker Art 70
Linsen-Kichererbsen-Suppe mit Schmortomaten 74
Würzige Kürbis-Apfel-Suppe mit Speck 68
Süßkartoffeln
Dreierlei Bohnen mit Kartoffelkruste 173
Süßkartoffel-Blumenkohl-Curry 168

T
Tacos
Fisch-Tacos mit schwarzer Quinoa und Mais-Salsa 137
Tacos mit knusprigem Hähnchen 103
Tamari (Japanische Sojasauce) 98
Tamarinde
Garnelen-Curry mit Chili und Tamarinde 133
Tarte
Belgisches Shortbread 294
Chorizo-Tomaten-Tarte 112
Tartelettes
Überbackene Eier in Sauerrahm-Mürbeteig-Tartelettes 25
The Red Baron 243
Tomaten
Auberginen-Mozzarella-Lasagne 206
Chorizo-Tomaten-Tarte 112
Flautas mit Schweinefleisch und cremigem Apfel-Radieschen-Krautsalat 114
Focaccia mit karamellisierten Zwiebeln, Fenchelsamen und Tomaten 213
Garnelen-Crostini mit Tomaten-Champagner-Sauce 229
Katies Nudelsalat 63
Kräuter-Bulgur mit halb getrockneten Tomaten 49
Linsen-Kichererbsen-Suppe mit Schmortomaten 74
Mini-Burger mit Frikadelle und Tomaten-Chili-Sauce 236
Ragout vom Schmorschwein 121
Rauchiges Chili con Carne mit schwarzen Bohnen 124
Rindfleisch und Eier nach mexikanischer Art 28
Salat mit Mais, schwarzem Reis und Chiasamen 67
Sardinentoasts mit Estragon-Zitronen-Mayonnaise 15
Spaghetti mit Speck, Kapern und Minze 198
Tomaten-Chili-Sauce 236
Tomaten-Zucchiniblüten-Pizza mit Salami 193
Torte
Biskuittorte mit Limoncello-Balsamico-Erdbeeren 280
Tortilla
O'Shockos Guaco mit knusprigen Limetten-Tortillachips 232
Quesadillas mit Pilzen und karamellisierten Zwiebeln 176
Trauben
Quinoa-Trauben-Salat 56
Trüffel-Burger mit Pancetta und Crème fraîche-Pilzen 130
Trüffelsalz 130

U
Überbackene Eier in Sauerrahm Mürbeteig-Tartelettes 25
Umgekehrter Pflaumen-Chiffon-Kuchen 290

V
Vanille-Panna-Cotta mit Rhabarber Rosen-Kompott 266
Vegetarisch
Auberginen-Mozzarella-Lasagne 206
Couscous-Salat mit würzigen Kichererbsen und Granatapfel 65
Süßkartoffel-Blumenkohl-Curry 168
Venedig, Italien 145
Venusmuscheln
Fischsuppe mit Venusmuscheln 73

W
Walnussbrot 209
Wasabi-Grissini mit Lachsdip 225
Weißkohl siehe Krautsalat
Wohlstadt, Michael 33, 220
Wurst siehe Chorizo, Salami
Würzige Kürbis-Apfel-Suppe mit Speck 68
Würziges Zitronenlamm 110

Z
Ziegenkäse
Gemüsesalat mit Ziegenkäse und Haselnüssen 164
Pilz-Pekannuss-Risotto mit Ziegenkäse 170
Zitrone
Zitronen-Frischkäse-Füllung
Emmersalat mit Feta, Zitrone und Pinienkernen 60
Glutenfreier Zitronen-Kokos-Kuchen 276
Pinienkern-Cookies mit Zitrone und Mohn 284
Regenbogenforelle mit Zitronen Champagner-Sauce 134
Sardinentoasts mit Estragon-Zitronen-Mayonnaise 15
Spaghetti mit Krebsfleisch, Zitrone und Chili 205
Würziges Zitronenlamm 110

Zucchini
Feta-Crostini mit Zucchini und Schinken 231
Tomaten-Zucchiniblüten-Pizza mit Salami 193
Zwiebeln
Focaccia mit karamellisierten Zwiebeln, Fenchelsamen und Tomaten 213
Quesadillas mit Pilzen und karamellisierten Zwiebeln 176
Zwiebel-Bier-Chutney 128

Titel der englischen Originalausgabe: What Katie ate… at the weekend

whatkatieate.com

Design, photography, propping and styling: Katie Quinn Davies

Main assistant: Alice Cannan

General assistants: Marita Cranwell, Amber de Florio, Louise Masters, Madeleine Mouton, Michaela Wolf and Jahde Zinzopoulos

Second photographer for
A Mexican Weekend At My Place (Ein mexikanisches Wochenende):
Dan Gosse

Styling Assistant for
A Weekend Girls' Lunch
A Mexican Weekend At My Place (Wochenendlunch mit den Mädels):
Lou Brassil

Typeset in Folosofia by Post Pre-press Group, Brisbane, Queensland
Colour separation by Splitting Image Colour Studio, Clayton, Victoria

www.umschau-buchverlag.de

Übersetzung: Julia Schiborr, Brüssel, Susanne Kammerer, Edingen-Neckarhausen

Lektorat: Anna Christiane Gülicher-Loll, Köln

Redaktion: Laura Reil, Neustadt an der Weinstraße

Satz und Herstellung: Tina Defaux, Neustadt an der Weinstraße

Druck und Verarbeitung: NINO Druck, Neustadt an der Weinstraße

Printed in Germany
ISBN: 978-3-86528-784-7

Hinweis der Autorin: Alle Rezepte dieses Buches wurden unter Verwendung eines Umluftofens entwickelt und getestet. Wird ohne Umluft gearbeitet, sollte die Temperatur um 20 °C erhöht werden. Gar- und Backzeiten können je nach Ofen variieren.

Stühle und Dekorationsmaterial für *Wochenendlunch mit den Mädels* wurde freundlicherweise zur Verfügung gestellt von Ici et La (icietla.com.au).